Johann Sebastian Bach

1685 – 1750

Sonaten und Partiten

Sonatas and Partitas · Sonates et Partitas

für Violine solo
for Violin solo
pour Violon seul

Herausgegeben und mit Fingersätzen versehen von
Edited and provided with fingering by
Edition revue et pourvue de doigtés par
Henryk Szeryng

ED 6850
ISMN 979-0-001-07254-0

www.schott-music.com

Mainz · London · Berlin · Madrid · New York · Paris · Prague · Tokyo · Toronto

Inhaltsverzeichnis / Index / Contenu

Vorwort

Die Sonaten und Partiten für Violine allein von Johann Sebastian Bach gehören zweifellos zu jenen Meisterwerken der Violinliteratur, mit denen sich jeder Geiger gründlich zu befassen und auseinanderzusetzen hat. Mein Anliegen ist es, mit dieser Neuausgabe dem Interpreten bei der Bewältigung der mannigfaltigen Probleme Anregung und Hilfe zu bieten. Die vorliegende Arbeit ist das Ergebnis langjähriger Beschäftigung mit dem musikalischen Schaffen Bachs und den geistigen Strömungen seiner Zeit. Ich habe versucht, sowohl Forderungen stilistischer Art als auch die heutigen technischen und klanglichen Möglichkeiten der Geige zu berücksichtigen. Fingersätze, Bogenstriche und sonstige Angaben entsprechen meiner eigenen Auffassung und mögen darum als ein persönlicher Vorschlag verstanden werden, der meinen Kollegen und ganz besonders den jungen Geigern zugedacht ist.

Mein besonderer Dank gilt Dr. Arno Volk, der mich zu dieser Aufgabe aufgefordert hat und mir mit Rat und Tat zur Seite stand. Auch meiner Schülerin Jacqueline Staehli danke ich für ihre hingebungsvolle Mitarbeit bei der Revision der Manuskripte sehr herzlich.

Mexico D. F. und Paris, Sommer 1979 *Henryk Szeryng*

Preface

Johann Sebastian Bach's sonatas and partitas for solo violin belong undoubtedly to those masterworks of violin literature which every violinist should study thoroughly and come to grips with. It is my concern in this new edition to offer the player encouragement and help in mastering a great variety of problems. The present work is the result of many years' study of Bach's music and the intellectual climate of his time. I have tried to give consideration both to requirements of a stylistic nature and to the contemporary technical and tonal possibilities of our instrument. Fingerings, bowings and other annotations stem from my own musical approach and, therefore, may be regarded as personal suggestions which are intended for my colleagues and, particularly, for young violinists.

I am especially grateful to Dr. Arno Volk, who invited me to undertake this task and offered me his unreserved support. I also wish to thank my pupil, Jacqueline Staehli, for her devoted help in revising the manuscripts.

Mexico D. F. and Paris, Summer 1979 *Henryk Szeryng*

Préface

Les Sonates et Partitas pour violon seul de Jean-Sébastien Bach appartiennent incontestablement à ces chefs-d'oeuvre de la littérature du violon que chaque violoniste se doit d'étudier et d'analyser de manière approfondie. Mon propos est de stimuler les interprètes et de les aider par cette édition à maîtriser les multiples problèmes qu'ils auront à résoudre. Le présent travail est le fruit d'une longue étude de la création musicale de Bach et des courants spirituels de son époque. J'ai essayé de tenir compte aussi bien des exigences du style que des possibilités techniques et sonores actuelles du violon. Les doigtés, coups d'archet et autres indications correspondent à ma propre conception, et c'est à ce titre qu'ils sont destinés à être transmis à mes collègues et plus particulièrement aux jeunes violonistes.

Je tiens avant tout à exprimer ma gratitude au Dr. Arno Volk. C'est grâce à ses encouragements et à ses conseils que j'ai entrepris cette tâche. Je remercie aussi très cordialement mon élève Jacqueline Staehli de sa collaboration et de son dévouement lors de la révision des manuscrits.

Mexico D. F. et Paris, été 1979 *Henryk Szeryng*

Hinweise zur Interpretation

Erläuterung der Zeichen:

- ⌒ (punktiert) — nicht original
- – – – / · · · / ·̲ ·̲ ·̲ — bestimmen den Bogenstrich
- *f*, *p* — in Kursivschrift: nicht original (ebenso alle Angaben der Vortragsweise, z. B. *dolce*)
- – – – — ohne Artikulationsbogen oder außerhalb desselben: bezeichnen Noten von besonderer thematischer oder harmonischer Wichtigkeit und bedeuten keine Dehnung, sondern ein leichtes expressives Hervorheben
- > > — Akzente in kleinerer Schrift: nur leichte Betonung
- ↑ ↓ — erläutern die Ausführung der Akkorde
- ↗ — weisen auf besonders hervorzuhebende (und aus technischen Gründen oft vernachlässigte) Mittelstimmen hin
- [*tr*] — vom Herausgeber ergänzt. Triller beginnen im allgemeinen mit der oberen Nebennote, welche auf die Zählzeit ausgeführt wird.

Vorschläge zur Ausführung der „Arpeggi" sind in Fußnoten beigegeben.

Für den Bogenstrich wurde eine knappe Schreibweise gewählt, um das Notenbild nicht zu überlasten. Bei mehrstimmigen Stellen, deren Ausführung sich von der Notation Bachs unterscheidet, d. h. wo aus instrumentaltechnischen Gründen nicht alle Stimmen in ihrem vollen Notenwert durchgehalten werden können, ist es jeweils die bewegte Stimme, welche den Bogenstrich angibt, wobei die liegenden Stimmen im Strichwechsel nicht mehr wiederholt werden. Ein gelegentliches Abweichen von dieser Regel ist besonders vermerkt, so in der 2. Partita zu Beginn der Ciaccona, wo durch eine Wiederholung der ganzen Akkorde auf der Achtelnote die Exposition des Themas in ihrer harmonischen und rhythmischen Bedeutung unterstrichen wird.

Performance Directions

Explanation of the symbols:

- ⌒ (dotted) — not original
- – – – / · · · / ·̲ ·̲ ·̲ — determine the bow-stroke
- *f*, *p* — in italics: not original (likewise all directions concerning the manner of performance, e. g. *dolce*)
- – – – — without articulation slur, or not governed by it: indicate notes of particular thematic or harmonic importance and do not mean *tenuto* playing but rather a light, expressive emphasis of the note
- > > — accents in smaller print: only slight emphasis
- ↑ ↓ — illustrate the manner of realizing chords
- ↗ — indicate middle parts which are to be particularly stressed (and which are often ignored for technical reasons)
- [*tr*] — added by the editor. Trills usually begin with the upper note, which is played *on* the beat.

Suggestions for the performance of "arpeggi" are given in footnotes.

A concise type of notation has been chosen for bowing, so as not to overload the musical text. Where the manner of performing polyphonic passages differs from the notation employed by Bach, i. e. where not all the parts can be sustained for their full note value for technical reasons, it is the moving part to which the bowing applies in each case. Consequently, the stationary parts are not repeated with the change of bow. An occasional divergence from this rule should be particularly noted – for example, at the beginning of the Ciaccona in the 2nd Partita, where the full harmonic and rhythmical significance of the theme is underlined by the repetition of the whole chord on the quaver.

Remarques concernant l'interprétation

Explication des signes:

- ⌒ (pointillé) — non original
- – – – / · · · / ·̲ ·̲ ·̲ — déterminent le coup d'archet
- *f*, *p* — en italique: non original (de même que toutes les indications relatives à l'interprétation, p. ex. *dolce*)
- – – – — placés à l'extérieur d'une liaison, ou quand il n'y a pas de liaison: caractérisent les notes d'une importance thématique ou harmonique particulière, qui ne doivent pas être allongées, mais simplement mises en évidence par l'expression
- > > — les accents en petits caractères indiquent une accentuation très légère
- ↑ ↓ — précisent la façon de réaliser les accords
- ↗ — signalent les voix intermédiaires à mettre en évidence (qui sont souvent négligées pour des raisons techniques)
- [*tr*] — non original. En règle générale, les trilles commencent sur le temps par la note supérieure.

Par ailleurs, on trouvera des indications concernant l'exécution des arpèges dans les annotations.

Pour les coups d'archet nous avons choisi des formules simples, afin de ne pas surcharger le texte musical. Lorsqu'il y a plusieurs voix dont l'exécution s'écarte du texte de Bach, autrement dit, lorsque pour des raisons techniques toutes les notes ne peuvent être intégralement tenues, c'est la voix en mouvement qui déterminera le coup d'archet, tandis que les notes tenues ne seront pas répétées lors d'une reprise d'archet. Une dérogation occasionnelle à cette règle sera mentionnée à part, comme par exemple dans la Partita No 2, au début de la Chaconne, où la répétition de l'accord complet sur la croche souligne le caractère du thème dans sa signification harmonique et rythmique.

2. Sonate, Fuga

2nd Sonata, Fuga

2ème Sonate, Fuga

wird folgendermaßen ausgeführt:

is executed as follows:

doit être réalisé de la manière suivante:

Ein Vergleich mit T. 149 zeigt, daß Bach dort diese Spielweise selbst notiert hat.

Compare with b. 149, where Bach himself notated this manner of playing.

Une comparaison avec la mesure 149 démontre que Bach a noté là lui-même ce type d'exécution.

Im Gegensatz dazu:

In contrast:

Au contraire:

Hier werden die Viertelnoten in der Oberstimme gehalten.

Here the crotchets in the upper part are sustained.

Ici les noires de la partie supérieure sont tenues.

Einige weitere Beispiele zur Ausführung:

A few other examples showing the method of execution:

Quelques autres exemples d'exécution:

2. Partita, Ciaccona

2nd Partita, Ciaccona

2ème Partita, Ciaccona

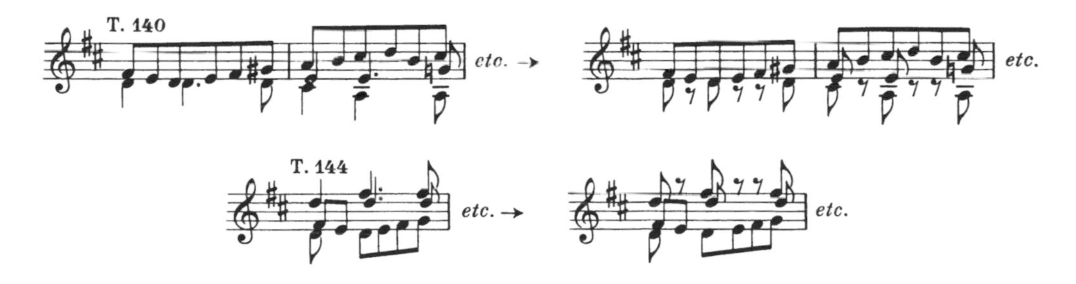

3. Sonate, Fuga

3rd Sonata, Fuga

3ème Sonate, Fuga

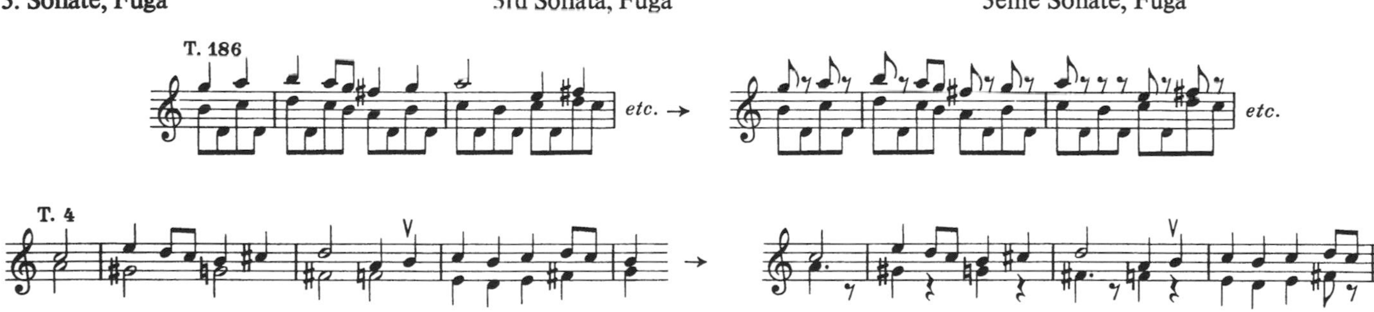

Bei Doppelgriffen ist es zuweilen besser, zugunsten einer klaren Stimmführung auf eine allzu gründliche und gewissenhafte Wiedergabe des Notentextes zu verzichten, auch dort, wo wir nicht von vornherein aus instrumentaltechnischen Gründen dazu gezwungen sind. Es ist stets darauf zu achten, daß beim Vortrag die thematisch wichtige Stimme hervortritt; ihre melodische Linie, ihr Rhythmus müssen dem Hörer klar sein. Es wäre verfehlt, weniger wichtige Stimmen in

In double-stops it is occasionally better to dispense with too literal and scrupulous a realisation of the musical text in favour of clear voice-leading - even in those places where we are not primarily constrained to do so for technical reasons. We should always see to it that the thematically important voice is given prominence in performance; its melodic line and rhythm must be made clear to the listener. It would be undesirable to sustain less important parts for their full note value if

Dans les doubles cordes, il est parfois préférable de renoncer à une réalisation scrupuleuse du texte pour favoriser une conduite très claire des voix, même lorsque les impératifs techniques ne nous y obligent pas. Il convient toujours de veiller à faire ressortir la partie thématique la plus importante; sa ligne mélodique et son rythme doivent apparaître clairement à l'auditeur. Ce serait une erreur que de vouloir soutenir intégralement toutes les notes d'une voix secondaire au détriment

ihrem vollen Notenwert aushalten zu wollen, wenn dies die klare Darstellung der Polyphonie erschwert. Eine gute Beherrschung des Bogens ermöglicht uns, die Hauptstimme jeweils eine kleine Spur länger zu halten (während die leicht verkürzte Nebenstimme beim Liegenlassen der Finger genügend nachklingt). Beispiel:

this endangered the clear realisation of the polyphony. A good control of the bow enables us to sustain the principal voice a little longer each time (the somewhat shorter note of the subsidiary voice will resonate long enough if the finger remains on the string). Example:

d'une image claire de la polyphonie. Une maîtrise adéquate de l'archet nous permet de tenir la voix principale un peu plus longtemps. En gardant les doigts bien appuyés sur la corde, on maintient suffisamment le son des notes, légèrement raccourcies, de la voix secondaire. Exemple:

2. Sonate, Fuga — 2nd Sonata, Fuga — 2ème Sonate, Fuga

Ausführung: — Execution: — Exécution:

Thema in der	Unterstimme	Oberstimme	Unterstimme
Theme in the	lower part	upper part	lower part
Thème dans la voix	inférieure	supérieure	inférieure

Der originale Bogenstrich von Bach – zur Verwirklichung seiner musikalischen Absichten in den meisten Fällen der beste – wurde nach Möglichkeit beibehalten, so z. B. auf Kadenzen mit Vorhalt:

Bach's original bowing – usually the best for the realisation of his musical intentions – has been retained as far as possible, for instance at cadences with a suspension:

Les coups d'archet originaux de Bach ont été respectés autant que possible, car ils expriment au mieux les intentions du compositeur, ainsi par exemple dans les cadences comportant un retard ou une appogiature:

2. Sonate, Grave — 2nd Sonata, Grave — 2ème Sonate, Grave

Ein unschöner Akzent läßt sich hier durch sinnvolle Bogeneinteilung vermeiden (wenig Bogen für die Zweiunddreißigstelnote verwenden).

An ugly accent can be avoided here if the bow is apportioned intelligently (use little bow for the demisemiquaver).

Un mauvais accent peut être évité par une répartition judicieuse de l'archet (très peu d'archet sur la triple croche à la pointe).

Als ein der Bachschen Zeit entsprechender Bogenstrich sei das kurze, leichte Détaché (klanglich etwa demjenigen der Oboe vergleichbar) erwähnt, das in der Bogenmitte ausgeführt wird. Es findet hauptsächlich Anwendung in den Zwischenspielen der Fugen (an einigen Stellen durch - - - verdeutlicht), auch in der 2. Partita, Ciaccona (T. 152 u. folg.). Wo der Strich etwas breiter und gesanglicher ist, wird er eher oberhalb der Bogenmitte ausgeführt (z. B. in der 1. Partita, Double zu Tempo di Borea), doch muß er immer leicht und luftig bleiben, im Gegensatz zum schweren, an der Saite klebenden Détaché-Strich der Romantik.

The short and light détaché bowing, which is comparable in sound to that of the oboe and is played in the middle of the bow, should be mentioned as a type of bowing suitable for music of the Bach period. It is found mainly in the episodes of fugues (indicated by - - - in a few places), but also in the Ciaccona of the 2nd Partita (bar 152ff.). Where the bowing is a little fuller and more cantabile, it should be executed preferably with the upper half of the bow (e. g. in the Double of the Tempo di Borea in the 1st Partita), but it must remain light and airy at all times, in contrast to the heavy détaché bowing of the Romantic period, which remains close to the string.

Il faut mentionner comme un coup d'archet caractéristique de l'époque de Bach le détaché court et léger, dont la sonorité se rapproche de celle du hautbois, et qui devra être exécuté au milieu de l'archet. On trouve son application principalement dans les divertissements des Fugues (précisé dans certains passages par - - -), de même que dans la Chaconne de la 2ème Partita (mes. 152 et suiv.). Lorsque ce coup d'archet demande à être plus large et plus chantant, on le jouera plutôt entre le milieu et la pointe (par exemple dans la 1ère Partita, Double du «Tempo di Borea»), mais il doit toujours rester léger et aéré, à l'inverse du détaché appuyé «à la corde» de l'époque romantique.

In Sätzen mit rhythmisch-tänzerischem Charakter werden im allgemeinen kurze Notenwerte etwas länger und lange Notenwerte etwas kürzer ausgeführt:

In movements of a rhythmical, dance-like character, short notes are usually played a little longer and long notes a little shorter:

Dans les mouvements de caractère rythmé et dansant, on soutiendra davantage les valeurs courtes, alors que les valeurs longues seront écourtées:

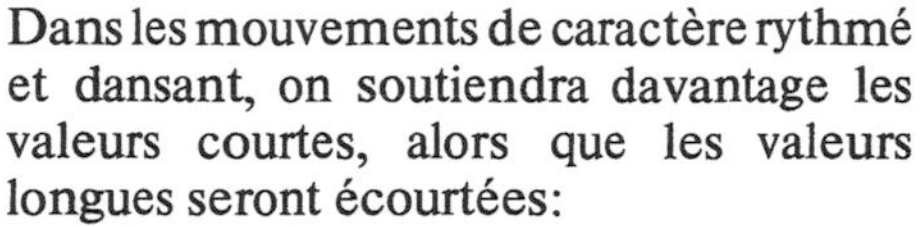

1. Sonate, Fuga — 1st Sonata, Fuga — 1ère Sonate, Fuga

1. Partita, Tempo di Borea — 1st Partita, Tempo di Borea — 1ère Partita, Tempo di Borea

2. Sonate, Fuga — 2nd Sonata, Fuga — 2ème Sonate, Fuga

3. Sonate, Fuga — 3rd Sonata, Fuga — 3ème Sonate, Fuga

(Dieses Thema hat mehr gesanglichen Charakter)

(This theme has a more cantabile character)

(Ce thème a un caractère plutôt mélodique)

In Fugen wird die Gliederung des Themas durchgehend beibehalten, es sei denn, dieses erscheine in verändertem Charakter, wie in der Fuge der 3. Sonate, T. 113 u. folg., wo durch das Legato ein orgelartiger Klang entsteht.
Der Fingersatz berücksichtigt - wenn immer möglich - die Mehrstimmigkeit. Das Spiel in niedrigen Lagen bringt sehr oft klangliche Vorteile und ermöglicht den Gebrauch der vier Saiten im Sinne verschiedener Stimm- und Farbregister. Insbesondere in Sätzen, die keine Akkordgriffe aufweisen, verhilft uns dies zur Darstellung einer auch hier in höchstem Maße vorhandenen lebendigen Vielstimmigkeit:

In fugues, the phrasing of the theme is maintained throughout unless its character is altered, as in the Fugue of the 3rd Sonata, bar 113ff., where an organ-like sound is produced as a result of the legato.

As far as possible, the polyphonic texture is observed in the given fingering. Playing in lower positions is very often tonally advantageous, and makes possible, through the use of four strings, a greater variety of different voices and colours. This greatly facilitates the realisation of a consistent, lively polyphonic texture, particularly in those movements which have no chords:

L'articulation du thème sera maintenue tout au long de la Fugue, à moins que le «sujet» n'apparaisse sous une forme modifiée, comme dans la Fugue de la 3ème Sonate, mes. 113 et suiv., où le «legato» lui confère une sonorité proche de l'orgue.

Dans la mesure du possible, les doigtés tiennent compte des exigences de la polyphonie. L'utilisation des positions inférieures offre souvent des avantages sur le plan sonore et permet de jouer sur les quatre cordes afin d'enrichir la gamme des voix et des couleurs, surtout dans les mouvements ne comportant pas d'accords, où cela nous aide à faire sentir à l'auditeur la polyphonie omniprésente:

2. Partita, Giga — 2nd Partita, Giga — 2ème Partita, Giga

Der „mehrstimmige" Fingersatz ist nicht immer der bequemste:

The "polyphonic" fingering is not always the most comfortable:

Le doigté «polyphonique» n'est pas toujours le plus commode:

2. Sonate, Allegro — 2nd Sonata, Allegro — 2ème Sonate, Allegro

Dieser Orgelpunkt erinnert an das Spiel auf einer Laute:

This organ point is reminiscent of lute playing:

Ces arpèges évoquent la technique du luth:

1. Sonate, Fuga

1st Sonata, Fuga

1ère Sonate, Fuga

Indem wir die Finger liegenlassen, werden die Schwingungen nicht unterbrochen; auch die leere D-Saite darf nicht berührt werden.

When the fingers are not raised, there is no interruption in the oscillating movement; the open D string must not be touched.

En laissant les doigts appuyés, nous n'interrompons pas la résonance de la note pédale; il faut aussi veiller à ne pas effleurer la corde à vide de ré.

Die folgenden Fingersätze verhindern das Übergreifen eines Fingers von einer Stimme in die andere und damit die Unterbrechung des gesanglichen Flusses:

The following fingerings prevent the encroachment of a finger from one part upon another part and the interruption of the cantabile flow:

Les doigtés suivants sont destinés à empêcher un même doigt de sauter d'une voix à l'autre en interrompant de ce fait la continuité du chant:

1. Sonate, Adagio
1st Sonata, Adagio
1ère Sonate, Adagio

2. Sonate, Andante
2nd Sonata, Andante
2ème Sonate, Andante

Im Interesse einer korrekten Stimmführung sollten wir auch vor etwas komplizierteren und schwierigeren Fingersätzen nicht zurückschrecken:

In the interests of a correct voice-leading we should also not shy away from somewhat complicated and difficult fingerings:

Dans l'intérêt d'une conduite correcte des voix, nous ne devrions pas reculer devant certains doigtés plus compliqués et difficiles:

3. Sonate, Largo

3rd Sonata, Largo

3ème Sonate, Largo

Es kann vorkommen, daß der „unrichtige" Fingersatz schöner klingt, so in der 1. Partita, Allemanda T. 19/20, wo aus diesem Grunde zwei Vorschläge der Wahl des Ausführenden überlassen bleiben.
Die dynamische Gliederung eines Satzes ergibt sich aus dem formalen Aufbau. Innerhalb eines größeren dynamischen „Blocks" gestalten sich die feineren Abstufungen in natürlicher Weise aus dem Verlauf der harmonischen und melodischen Linie (wobei das Ansteigen nicht immer ein Crescendo, das Absteigen nicht immer ein Decrescendo bedeuten muß – oft verhält es sich gerade umgekehrt). Daher beschränken sich auch die dynamischen Angaben des Herausgebers auf das Notwendige, sie möchten gleichsam nur als Richtlinien gelten. In Bachs großzügig angelegten Werken wären allzuviele kleine Nuancen unangebracht; lassen wir vielmehr den Komponisten selbst mittels seiner reichen Harmonik zu Wort kommen!
Extravaganzen sind zu vermeiden, wie etwa ein mystisches *pp* in der Ciaccona, zu Beginn des Dur-Teils; abgesehen davon,

It may happen that a "wrong" fingering sounds better. In the 1st Partita, Allemanda, bars 19/20, for instance, two suggestions are made and the choice is left to the performer's discretion.
The dynamic scheme of a movement is a consequence of its general structure. Within a larger dynamic "block", the finer gradations naturally result from the movement of the harmonic and melodic line (an upward movement does not always signify a crescendo, however, nor does a downward movement always signify a diminuendo; indeed the exact opposite is often the case). Hence the editor's dynamic markings are also confined to the necessary minimum, and they can be regarded merely as guide-lines. In Bach's large-scale works, too many small nuances would be inappropriate; let us rather allow the composer to speak for himself in his own rich harmonic language!
Such extravagant gestures as, for instance, a mystical *pp* at the beginning of the D major section in the Ciaccona are to be avoided; apart from the fact that such excessive nuances belong to a different

Il peut arriver que le doigté «incorrect» sonne mieux, ainsi dans la 1ère Partita, Allemanda, mes. 19/20, où pour cette raison deux propositions sont laissées au choix de l'exécutant.
Le choix des nuances est déterminé par la structure générale du morceau. Dans le cadre des grandes lignes dynamiques – simplement *f* ou *p* – il y a des nuances plus subtiles qui suivent d'une manière naturelle le dessin harmonique, mélodique et contrapuntique. Une ligne ascendante n'engendre pas nécessairement un crescendo, une ligne descendante un decrescendo – l'inverse est souvent vrai. C'est pourquoi les indications dynamiques proposées sont limitées à l'essentiel et conçues comme de simples suggestions. L'ampleur du message musical dont témoigne l'oeuvre de Bach s'accommode mal d'une surcharge de petites nuances; laissons plutôt le compositeur s'exprimer lui-même par la richesse de son langage harmonique.
Tout excès est à éviter, comme par exemple un *pp* «mystique» dans la Chaconne, au début de la partie majeure; sans

daß solch übertriebene Nuancen einer anderen Stilperiode angehören, sind sie hier auch aus klanglichen Gründen nicht zu empfehlen. Für die Exposition eines Fugenthemas z. B. benötigen wir ein *mp* oder *mf*; die nachfolgende dynamische Steigerung ergibt sich von selbst aus der Klangfülle der hinzutretenden Stimmen und bedarf keiner zusätzlichen Überhöhung.

Die Dynamik dient als wesentliches Mittel zur Verdeutlichung der Polyphonie. Durch dynamische Differenzierung lassen sich mehrere Stimmen voneinander unterscheiden:

period and style, they are also not to be recommended here for reasons of sonority. In the first presentation of a fugue subject, for example, we require a *mp* or *mf*; the subsequent increase in dynamic intensity results quite naturally from the fullness of sound of the entering parts and requires no additional strength.

Dynamics play an essential part in the clarification of polyphony. Several parts can be distinguished from one another by means of dynamic differentiation:

compter qu'une telle exagération de nuances appartient au style d'une époque différente, elle est en l'occurence à déconseiller pour des raisons sonores. Pour l'exposition d'un thème de fugue, par exemple, nous devrions recourir à un *mp* ou *mf*; la progression dynamique qui suit résulte de la plénitude sonore amenée par l'adjonction successive d'autres voix et ne demande pas d'apport supplémentaire.

Les nuances constituent un moyen essentiel pour clarifier la polyphonie. Elles permettent, par leur variété, de discerner plusieurs voix l'une de l'autre:

1. Sonate, Fuga

1st Sonata, Fuga

1ère Sonate, Fuga

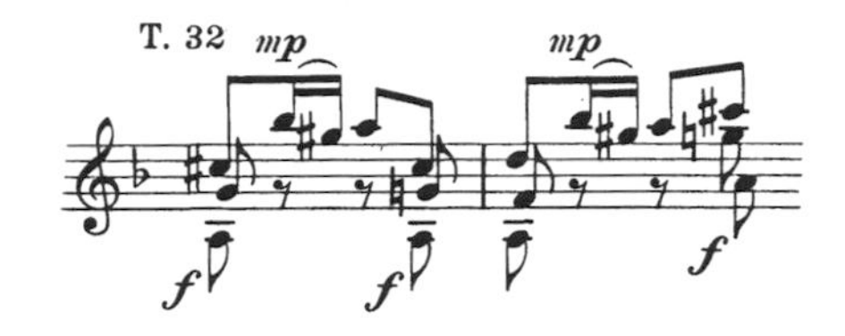

1. Sonate, Siciliana

1st Sonata, Siciliana

1ère Sonate, Siciliana

In diesem Satz sollte die untere Stimme intensiver gespielt werden, da das höhere Register sowieso stärker klingt.

In this movement the lower part should be played with more intensity, as the higher register sounds stronger in any case.

Dans ce mouvement, la voix inférieure doit être jouée avec plus d'intensité, étant donné que la sonorité du registre supérieur émerge naturellement.

Thematisch wichtige Stimmen werden hervorgehoben:

Thematically important parts are to be given prominence:

Les voix thématiques importantes doivent être mises en évidence:

3. Sonate, Fuga

3rd Sonata, Fuga

3ème Sonate, Fuga

2. Sonate, Andante

2nd Sonata, Andante

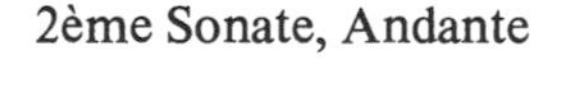
2ème Sonate, Andante

Durch einen etwas stärkeren Bogendruck lassen wir die Melodie hervortreten. Die ostinate Schrittbewegung des Basses bleibt auch im *p* gut hörbar.

We cause the melody to become more prominent by means of a somewhat stronger bow pressure. The ostinato movement in the lower part remains clearly audible even in *p*.

Une pression d'archet un peu plus marquée permet de faire ressortir la mélodie. Le rythme continu de la basse reste présent même dans la nuance *piano*.

Bei Orgelpunkten braucht die liegende Stimme meistens nicht unterstrichen zu werden, denn sie klingt von selbst (insbesondere, wenn es sich um eine leere Saite handelt):

It is not usually necessary to emphasise the stationary part in organ points, as it is sufficiently resonant (particularly when it is an open string):

Les notes pédales ne doivent pas être trop soulignées, car elles sonnent d'elles-mêmes – particulièrement sur une corde à vide:

3. Sonate, Fuga

3rd Sonata, Fuga

3ème Sonate, Fuga

2. Partita, Ciaccona

2nd Partita, Ciaccona

2ème Partita, Ciaccona

Durch dynamische Abstufung entsteht ein farbiges, abwechslungsreiches Registerspiel:

Dynamic gradation results in a colourful and richly varied interplay of registers:

Un usage judicieux des nuances permet de colorer de façon variée les différentes voix:

1. Sonate, Fuga

1st Sonata, Fuga

1ère Sonate, Fuga

Auch Themen-Einsätze werden durch einen Wechsel in der Dynamik klar hervorgehoben (und nicht durch Zäsuren, welche den rhythmischen Fluß unterbrechen würden):

Thematic entries are also brought clearly into relief through a change in dynamics (and not through caesuras, which would interrupt the rhythmical flow):

Les entrées de thèmes, aussi, sont mises clairement en évidence par des changements de nuances (et non pas par des césures, qui interrompraient le flux rythmique):

1. Sonate, Fuga

1st Sonata, Fuga

1ère Sonate, Fuga

Zwischen *f* und *p* sind unzählige, feinste Abstufungen möglich. Sie sollen beim Hörer gleichsam den Eindruck einer Vielzahl von verschiedenen Stimmen erwecken, wie sie über die Grenzen unserer instrumentalen Möglichkeiten hinausreicht.
Akkorde werden, je nachdem, welcher Stimme wir den Vorrang geben wollen, von unten nach oben (↑) oder von oben nach unten (↓) gespielt, da die zuletzt erklingende Stimme die am besten hörbare ist. Die Art der Ausführung richtet sich nach dem Charakter der jeweiligen Stelle;

Innumerable nuances are possible between *f* and *p*. They should give the listener the impression, as it were, of a large number of different parts, the precise realisation of which is obviously beyond the possibilities of our instrument.
Chords are to be played from the lowest to the highest note (↑) or from the highest to the lowest note (↓) according to which part we are to emphasise, as the last sounding part is the most clearly audible one. The method of execution chosen is determined by the character of the passage in question; in order to avoid rhythmical

Entre *f* et *p* la gamme des nuances est immense. Ces nuances doivent éveiller chez l'auditeur l'impression d'une multiplicité de voix diverses dépassant même les limites de nos possibilités instrumentales.
Les accords seront exécutés, en fonction de la voix à mettre en évidence, de bas en haut (↑) ou de haut en bas (↓), puisque la note finale est celle qui ressortira le mieux. Le mode d'exécution varie selon le caractère de chaque passage; pour parer aux distorsions rythmiques, on évitera autant que possible d'arpéger les accords. On peut faire entendre simultanément les trois voix

zur Vermeidung rhythmischer Verzerrungen ist ein möglichst unarpeggiertes Akkordspiel anzustreben. Dreistimmige Akkorde können gleichzeitig, vierstimmige nahezu gleichzeitig gespielt werden. Die folgende (sehr schematische) Darstellung gibt eine annähernde Übersicht über die verschiedenen Möglichkeiten:

distortions, one should strive for a type of chord playing characterised by the least possible amount of arpeggiation. The parts can be played simultaneously in three-part chords and almost simultaneously in four-part chords. The following (very schematic) diagram provides an approximate summary of the different possibilities:

d'un accord, et quasi simultanément les quatre voix. Le tableau (schématique) suivant donne un aperçu des différentes possibilités:

dreistimmig: three-part: Accord à trois voix:

Thema in der Theme in the Le thème est dans la	Oberstimme upper part voix supérieure	Mittelstimme middle part voix médiane	Unterstimme lower part voix inférieure

vierstimmig: four-part: Accord à quatre voix:

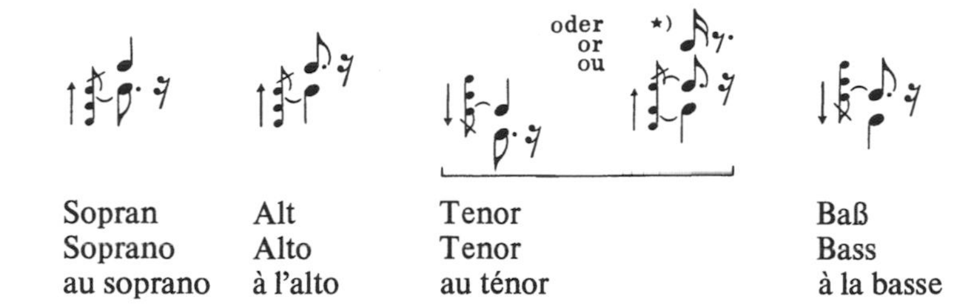

*) Diese Art der Ausführung erfordert eine gut ausgebildete Bogentechnik: die D-Saite darf nur einmal angespielt werden, ein Zurückschlagen des Bogens (↑↓) ist unbedingt zu vermeiden. Ein Anwendungsbeispiel dafür findet sich in der 2. Partita, Ciaccona, 1. Variation.

*) This manner of performance requires a well-developed bow technique: the D string should be struck only once, and a rebound of the bow (↑↓) is to be definitely avoided. An example of its use can be found in the 2nd Partita, Ciaccona, variation 1.

*) Ce mode d'exécution exige une technique d'archet accomplie: il ne faut toucher qu'une seule fois la corde de ré, un aller et retour de l'archet (↑↓) doit être absolument évité. On en trouvera un exemple d'application dans la Chaconne de la 2ème Partita, 1ère variation.

Das unarpeggierte Spiel der Akkorde wird durch eine verhältnismäßig geringe Bogenausgabe erleichtert. Unpassende Akzente und Härten vermeiden wir, indem wir den Bogen im mittleren Teil (nie am äußersten Frosch) und in der Nähe des Griffbrettes ansetzen (der Bogen steuert nach der Attacke dem Steg zu). Das Verlassen der nicht ausgehaltenen Stimmen soll nicht zu plötzlich, sondern so geschickt und unhörbar wie möglich erfolgen. Selbstverständlich müssen dabei auch die Finger genügend lange liegenbleiben.
Wenn mehrere Stimmen zugleich aus thematischen und harmonischen Gründen hörbar sein müssen, dürfen die Akkorde nicht arpeggiert werden:

Non-arpeggiated playing of chords is facilitated by means of a relatively restricted use of the bow. We can avoid unsuitable accents and roughnesses by starting with the middle part of the bow (never at the frog) and near the fingerboard (directing the bow towards the bridge after the initial attack). The quitting of parts which are not sustained should not be too sudden, but should be accomplished as skilfully and inaudibly as possible. It goes without saying that the fingers must also remain on the string for the necessary length of time.
If, for both thematic and harmonic reasons, several parts must be audible at the same time, the chords must not be arpeggiated:

L'exécution non arpégée des accords requiert peu d'archet. On évitera les accents incongrus et les duretés en utilisant le milieu de l'archet (jamais l'extrême talon!), en attaquant près de la touche, l'archet se dirigeant ensuite vers le chevalet. Il faudra quitter les voix non tenues sans heurts et le plus discrètement possible. Bien entendu, dans ces cas, les doigts resteront assez longtemps sur la corde.
Si pour des raisons à la fois thématiques et harmoniques plusieurs voix doivent être audibles en même temps, les accords ne seront pas arpégés:

1. Sonate, Fuga 1st Sonata, Fuga 1ère Sonate, Fuga

2. Partita, Ciaccona

2nd Partita, Ciaccona

2ème Partita, Ciaccona

(Das Thema erscheint hier in der Umkehrung)

(The theme appears in inversion here)

(Le thème apparaît ici dans son renversement)

Es sei darauf hingewiesen, daß alle Sätze durchwegs mehrstimmig angelegt sind, auch wenn dies nicht von vornherein aus dem Bild des Notentextes ersichtlich ist (latente Mehrstimmigkeit). Die leichte ausdrucksmäßige Betonung einzelner Noten, welche Bestandteil eines Themas oder Themen-Fragmentes sind, erfolgt sowohl durch den Bogen als auch durch die linke Hand; sie darf natürlich nicht übertrieben werden.
Themen-Fragmente finden sich in den Zwischenspielen der Fugen häufig:

It should be pointed out that all the movements have a polyphonic texture throughout, even when this is not obvious at first from the appearance of the musical text (latent polyphony). The light, expressive accentuation of individual notes which are part of a theme or the fragment of a theme is effected both by the bow and by the left hand; it must not be exaggerated, of course.
Fragments of themes are to be found mainly in the episodes of fugues:

Il convient de souligner que tous les mouvements des Sonates et Partitas sont conçus polyphoniquement, même si l'image suggérée par le graphisme musical n'en donne pas immédiatement l'apparence (polyphonie latente). La légère accentuation expressive donnée à certaines notes faisant partie d'un thème ou d'un fragment de thème peut procéder aussi bien de la main gauche que de l'archet; elle ne doit bien entendu pas être exagérée.
Des fragments de thèmes se trouvent nombreux dans les divertissements des Fugues:

3. Sonate, Fuga

3rd Sonata, Fuga

3ème Sonate, Fuga

mit anschließender Umkehrung:

followed by the inversion:

suivi de son renversement:

Baßnoten als harmonische Stütze dürfen nicht vernachlässigt werden:

Bass notes as harmonic pillars should not be ignored:

Les notes de basse, en tant que soutien harmonique, ne doivent pas être négligées:

1. Partita, Corrente

1st Partita, Corrente

lère Partita, Corrente

Die hier hervorgehobenen Noten geben den – in dieser Variation verschobenen – Chaconne-Rhythmus wieder:

The notes given prominence here mark the chaconne rhythm – syncopated in this variation:

Les notes mises en évidence ci-dessous rendent le rythme – en l'occurence décalé – de la Chaconne:

2. Partita, Ciaccona

2nd Partita, Ciaccona

2ème Partita, Ciaccona

Es ist ein wesentliches Merkmal der Bachschen Phrasierung, daß sie sich über den Taktstrich hinwegsetzt: melodische Schwerpunkte fallen sehr oft nicht mit schweren Taktteilen zusammen.

An essential feature of Bach's phrasing is that it disregards the bar-line: melodic inflections frequently do not coincide with strong beats.

Une des caractéristiques du phrasé de Bach est de ne pas tenir compte de la barre de mesure: les points d'appui mélodiques tombent rarement sur les temps forts de la mesure.

Das Hauptthema aller drei Fugen ist auftaktig. Durch ein leichtes Hervorheben der ersten Note wird die Klarheit der jeweiligen Einsätze gewährleistet, während sie durch eine Betonung der schweren Taktteile zerstört würde:

The main subject in each of the three fugues begins on the up-beat. The clarity of the respective entries is guaranteed by a slight emphasis on the first note; it would be destroyed if the strong beats were stressed:

Le thème principal des trois Fugues commence par une levée. Une légère accentuation de la première note garantit la clarté de chaque entrée, clarté que compromettrait un appui sur le temps fort de la mesure:

1. Sonate, Fuga
1st Sonata, Fuga
1ère Sonate, Fuga

2. Sonate, Fuga
2nd Sonata, Fuga
2ème Sonate, Fuga

Die vom Thema hergegebene Phrasierung im Gegentakt läßt sich durch den ganzen Satz hindurch verfolgen:

The off-the-beat phrasing of the theme in the following example is maintained throughout the movement:

On peut poursuivre tout au long de la Fugue le phrasé rythmique donné par le thème:

1. Sonate, Fuga

1st Sonata, Fuga

1ère Sonate, Fuga

Die Betonung des Phrasenendes sollte vermieden werden, insbesondere, wenn dieses mehrstimmig ist und auf einen schweren Taktteil fällt:

The accentuation of the end of a phrase should be avoided, especially if it is polyphonic and falls on a strong beat:

L'accentuation d'une fin de phrase devrait être évitée, en particulier lorsque celle-ci est à plusieurs voix et tombe sur le temps fort de la mesure:

1. Sonate, Fuga

1st Sonata, Fuga

1ère Sonate, Fuga

Hier dürfen wir dagegen nicht durch ein Decrescendo in jedem Takt in Monotonie verfallen; trotz der Kürze des Motivs handelt es sich um zweitaktige Perioden:

In the following example, on the other hand, we should not lapse into monotony by introducing a decrescendo in every bar; we have to think in terms of two-bar periods here, in spite of the shortness of the motive:

Ici en revanche, un decrescendo dans chaque mesure engendrerait la monotonie; malgré la brièveté du motif, il s'agit de périodes de deux mesures:

2. Sonate, Fuga

2nd Sonata, Fuga

2ème Sonate, Fuga

Immer sind längere Perioden anzustreben, wobei versucht werden soll, den Phrasierungsbogen so weit wie möglich zu spannen, um eine Zerstückelung der großen Linien zu vermeiden.
Hier überschneiden sich die Phrasen (das e' ist gleichzeitig melodischer Abschluß der ersten und rhythmischer Anfang der zweiten Phrase):

We should always strive for longer periods, and attempt to extend the individual phrases as far as possible, so as to avoid chopping up the expansive melodic lines.

In this example, the phrases overlap (the e' is both the melodic conclusion of the first and the rhythmical beginning of the second phrase):

Il faut tendre à établir des périodes aussi longues que possible, et conférer à leurs nuances une ligne très ferme afin de ne pas en rompre la continuité ou en atténuer l'ampleur du souffle.
Ici les phrases s'interpénètrent (le mi étant en même temps la conclusion mélodique de la première et le début rythmique de la deuxième phrase):

3. Partita, Loure

3rd Partita, Loure

3ème Partita, Loure

Das Vibrato ist im allgemeinen nur sparsam zu verwenden. Der Klang unseres Instrumentes soll sich nach Möglichkeit durch dessen Eigenvibration entfalten. Insbesondere bei Doppelgriffen entstehen Obertöne, so daß schon ein sehr diskretes Vibrato große Schwingungen erzeugt. Oft wird gerade durch ein kaum spürbares Beben, verbunden mit starkem senkrechtem Fingerdruck der linken Hand und einem engen Kontakt des Bogens mit der Saite, der Ausdruck noch erhöht (siehe 2. Partita, Ciaccona T. 132 u. folg., 3. Sonate, Adagio T. 34 u. folg.).

Henryk Szeryng

In general, vibrato is to be used only sparingly. The sound of our instrument should unfold as far as possible through its own vibration. In the case of double-stops in particular, there are overtones, so that even a very discreet vibrato produces sufficient oscillations. A barely noticeable vibrato, combined with strong vertical finger pressure in the left hand and a close contact of the bow with the string, often heightens the expression (see 2nd Partita, Ciaccona, bar 132ff.; 3rd Sonata, Adagio, bar 34ff.).

Henryk Szeryng

D'une manière générale, il faut utiliser le vibrato avec parcimonie. Le son de notre instrument doit autant que possible se développer de par sa propre vibration. Les doubles cordes, en particulier, font naître des harmoniques, de sorte qu'un vibrato même très discret suscite déjà d'importantes résonances. Souvent c'est précisément par une légère oscillation, liée à une pression verticale du doigt de la main gauche et un contact étroit entre l'archet et la corde (à proximité du chevalet), que l'expression peut atteindre son véritable épanouissement (v. 2ème Partita, Ciaccona mes. 132 et suiv., 3ème Sonate, Adagio mes. 34 et suiv.).

Henryk Szeryng

Allgemeine Erläuterungen

Das Autograph der „Sei Solo/a/Violino/senza/Baßo/accompagnato/Libro Primo./da/Joh:Seb:Bach./ao.1720." (Faksimileausgabe Bärenreiter, Kassel 1958) läßt durch seine Notationsweise der kontrapunktischen Sätze die reale Polyphonie exakt erkennen. In den einstimmigen Sätzen finden wir eine latente Mehrstimmigkeit der melodischen Linie, wenn wir daran denken, daß unser „inneres Ohr" die dem melodischen Duktus zugrundeliegenden Harmonien weiterhören kann. Eine Dreistimmigkeit z. B. der Corrente aus der h-Moll-Partita kann auf folgende Weise graphisch dargestellt werden:

General Comments

In the autograph of the "Sei Solo/a/Violino/senza/Baßo/accompagnato/Libro Primo./da/Joh:Seb:Bach./ao.1720." (facsimile edition, Bärenreiter, Cassel, 1958) the contrapuntal movements are notated in such a way that the real polyphony can be recognised exactly. In the monophonic movements we find a latent polyphony in the melodic line when we consider that our "inner ear" can also hear the harmonies which undergird the melodic flow. A three-part texture in the Corrente of the B minor Partita, for instance, can be graphically represented in the following manner:

Considérations générales

Le manuscrit autographe des «Sei Solo/a/Violino/senza/Baßo/accompagnato/Libro Primo./da/Joh:Seb:Bach./ao.1720.» (édition du fac-similé Bärenreiter, Kassel 1958) permet, à travers sa notation, de déceler avec précision la polyphonie. Dans les parties monodiques, la ligne mélodique sous-entend plusieurs voix que nous pouvons percevoir si nous considérons que notre «oreille intérieure» est capable de suivre les harmonies suggérées par le conduit mélodique. Dans la Courante de la Partita en si mineur une construction à trois voix peut être représentée graphiquement de la manière suivante:

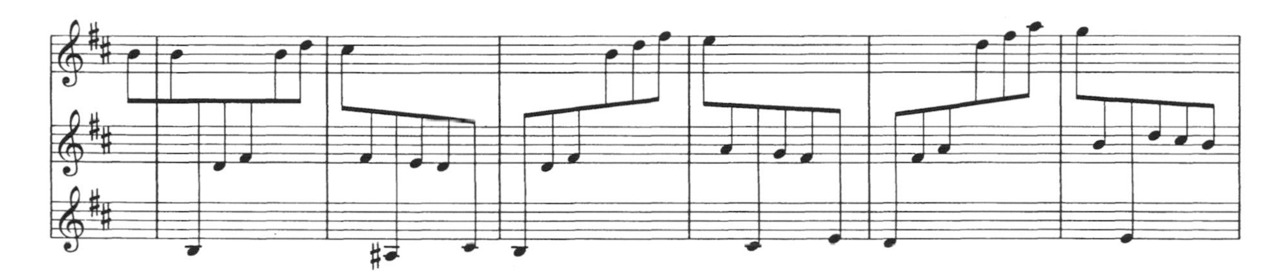

Werden die vom inneren Ohr weiterzuhörenden Töne der drei Stimmen zu einer permanent klingenden Stimme erweitert, so ergibt sich die folgende dreistimmige Partitur:

If the notes of the three parts which are also heard by the "inner ear" are extended to form a continuous sounding part, the following three-part score is the result:

En développant les trois lignes sonores entendues par l'oreille intérieure on peut réaliser la partition à trois voix suivante:

Die *Artikulationen*, in diesen Werken in seltener Ausführlichkeit von Bach notiert, sind nur dort zu ergänzen oder zu ändern, wo Analogien und die Konventionen der Bach-Zeit dies rechtfertigen. Das Double der Sarabande der h-Moll-Partita z. B. hat Bach ohne Artikulationen belassen. Der Phantasie des Spielers waren in der Generalbaßzeit einerseits große Freiheiten eingeräumt, andererseits kannte der gebildete Musiker die Konventionen seiner Zeit. Im allgemeinen gilt nach Quantz die Regel, daß Stufengänge breiter zu artikulieren sind als Sprünge, wobei aber zu beachten ist, ob diese Sprünge mehr profiliert rhythmischen oder mehr kantablen Charakter tragen. Im letzteren

Only a few of the articulation marks in these works have been notated in full by Bach himself, and additions or alterations should only be made in those places where they can be justified by reference to analogous conventional procedures in Bach's time. Bach left the Double of the Sarabande of the B minor Partita without articulation marks, for instance. During the basso continuo period, on the one hand, the player was allowed to give free rein to his inventive skill; on the other hand, the professional musician was well aware of the conventions of his period. According to Quantz, the general rule was that stepwise progressions were to be articulated more broadly than leaps; at the same time

Les articulations (liaisons) notées par Bach avec une rare précision ne doivent être complétées ou modifiées que lorsque des analogies ou des conventions de l'époque de Bach le justifient. Le Double de la Sarabande de la Partita en si mineur, par exemple, n'a été pourvu d'aucune liaison par Bach. A l'époque de la basse chiffrée, une grande liberté était laissée à l'inspiration de l'exécutant; d'autre part, le musicien cultivé connaissait les conventions de son époque. D'après Quantz, on applique d'une manière générale la règle attribuant aux passages par degrés conjoints des liaisons plus longues qu'aux passages procédant par sauts; encore faut-il tenir compte du caractère plutôt rythmique ou

Falle faßt man gerne Noten, die zur selben Harmonie gehören, unter einem Bogen zusammen. Oft bleibt dem Spieler die Entscheidung überlassen, ob Melodie, Rhythmus oder Harmonie bestimmend für die Wahl der Artikulationen sind. Immer muß eine sinnvolle Deklamation die Ausdruckskraft der musikalischen Linie im Rahmen des gegebenen Affektgehaltes steigern. Diese allgemeinen Regeln müssen im Bewußtsein angewendet werden, daß es meist mehrere Möglichkeiten des Könnens und nicht eine eindeutige Pflicht des Müssens gibt.

Die *Dynamik* der Bach-Zeit kennt nicht die emphatischen Kontraste der Romantik. Der Unterschied zwischen forte und piano ist geringer, als in der Musik des 19. Jahrhunderts. Um so mehr müssen die sensiblen dynamischen Feinheiten, die jeder Melodie immanent sind, aufgespürt und nachgezeichnet werden. Die dynamischen Effekte crescendo-diminuendo sind in den Musikdrucken des 17. und frühen 18. Jahrhunderts selten zu finden, was nicht bedeutet, daß sie nicht angewendet wurden; die Gesangsschulen und theoretischen Schriften der Barockzeit geben Auskunft darüber. So wird z. B. die Dissonanz betont und deren Auflösung wieder leiser gespielt, d. h. entspannt. Das diminuendo, über eine lange Strecke mit f – p – pp angegeben, findet sich z. B. im letzten Satz des Concerto grosso op. 6 Nr. 8 von Arcangelo Corelli. Eine klare Gliederung der einstimmigen Sätze muß den Gang der Harmonie durch Atemzäsuren und die feine Dynamik verdeutlichen.

Im übrigen ist der Affektgehalt eines Satzes bestimmend für die Dynamik, wobei nicht vergessen werden sollte, daß das Violinspiel dieser Zeit, die gleichzeitig auch eine Zeit der großen Sänger war, vom Interpreten einen Reichtum an feinen Nuancen fordert. Die langsamen Sätze der Bachschen Solosonaten und -partiten sind sicher in der Vorstellung des expressiven, sensiblen Geigentons komponiert. Der Geigenton vermag deutlich darzustellen, wie hochgespannt die Erregungsabläufe der langsamen improvisatorischen Einleitungssätze und auch der schnellen Schlußsätze sind. Ebenso muß der Geigenton den langsamen Binnensätzen die kantable Ruhe geben, die sie fordern. In den Fugen stellt Bach die strenge Polyphonie über die Möglichkeit ihrer realen Darstellung und erreicht mit einem Minimum an Mitteln (Violine) ein Maximum an polyphonem Reichtum, der ebenso dynamisch nachgezeichnet werden muß, führt er doch zu stärksten inneren Spannungen. Daß die Benutzung historischer Instrumente dem allen nicht widerspricht, lehrt ihr Gebrauch. Immer sind nach Quantz beim Zuhörer die Leidenschaften zu erregen

it had to be carefully observed whether these leaps had a more pronounced rhythmical or a more cantabile character. In the latter case, notes which belong to the same harmony are preferably played in the one bow. It is often left to the player to decide whether melody, rhythm or harmony should determine the choice of articulation. At all times a meaningful declamation must increase the expressive power of the musical line within the bounds of the given affective content. Although these general rules should be observed, it must be remembered that there are usually several possibilities of execution and that it is not a question of only one obligatory way of performing a piece.

The dynamics of Bach's period did not have the emphatic contrasts of the Romantic period. The difference between *forte* and *piano* is smaller than in music of the 19th century. Consequently, the dynamic refinements which are present in every melody must be sought out and reproduced in performance. Although the dynamic effects of *crescendo* and *diminuendo* are rarely found in the printed music of the 17th an 18th centuries, this does not mean that they were not used. The singing methods and theoretical writings of the Baroque period provide information about them. For instance, a dissonance is stressed and its resolution played more gently, i. e. in a more relaxed manner. A *diminuendo* over a long stretch, notated f-p-pp, is to be found in the last movement of Arcangelo Corelli's Concerto grosso Op. 6 no. 8. A clear articulation of the monophonic movements must clarify the harmony through „breathing spaces" and carefully considered dynamics. Otherwise, the dynamics of a movement are conditioned by the affective content. It should be remembered that the violin playing of this period, which was also a time of great singers, demands a rich variety of fine nuances from players. The slow movements of Bach's solo sonatas and partitas were certainly composed with an expressive, sensitive violin tone in mind. The violin tone can clearly show the degree of tension in the highly-charged flow of the slow, improvisatory opening movements and in the quick final movements. At the same time, the violin tone must provide the slow inner movements with the gentle cantabile quality which they require. In the fugues, Bach places strict polyphony beyond the possibility of its actual realisation and achieves a maximum of polyphonic richness with a minimum of means (violin). This has also to be effected by means of dynamics, resulting in the most powerful inner tensions. The same applies when instruments of the period are used. According to Quantz *(Versuch einer Anweisung,*

plutôt chantant de ces sauts. Dans ce deuxième cas, on sera enclin à grouper sous un même coup d'archet les notes appartenant à une même harmonie. Il appartient souvent à l'exécutant de décider si c'est la mélodie, le rythme ou l'harmonie qui détermine le choix des coups d'archet. Il faut toujours rechercher une déclamation apte à dégager la force expressive de la ligne musicale conformément à son contenu émotionnel. Ces règles générales doivent être appliquées en partant du principe qu'elles laissent à chacun de nombreuses possibilités d'applications et ne doivent pas devenir autant de contraintes.

Les nuances, à l'époque de Bach, ne connaissent pas l'emphase des contrastes du Romantisme. La différence entre *forte* et *piano* est moins accusée que dans la musique du XIXe siècle. Il est d'autant plus nécessaire de ressentir et de pouvoir rendre les plus subtiles inflexions attachées à chaque phrase. On trouve rarement imprimées dans les éditions du XVIIe et du début du XVIIIe siècle les indications crescendo-diminuendo, ce qui ne signifie pas pour autant qu'on ne les appliquait pas. Les méthodes de chant et les écrits théoriques de l'époque baroque nous donnent des renseignements sur ce point. Ainsi, la dissonance est accentuée et sa résolution atténuée comme une détente. On trouve par exemple dans le dernier mouvement du Concerto Grosso Op. 6 No 8 d'Archangelo Corelli un diminuendo sur une longue phrase qui est indiqué par f – p – pp. Une structure claire des parties monodiques doit mettre en évidence la marche de l'harmonie par des respirations et par la subtilité des nuances.

Par ailleurs, c'est le contenu affectif qui détermine les nuances, et l'on se souviendra à ce propos que l'art du violon de l'époque de Bach, qui était aussi une époque de grands chanteurs, exigeait de l'interprète une gamme extrêmement riche et raffinée de nuances. Les mouvements lents des Sonates et Partitas de Bach ont certainement été composés en pensant à la sensibilité sonore spécifique du violon. La sonorité du violon est à même de rendre avec autant d'intensité le potentiel émotif du style improvisé des mouvements lents introductifs que celui des mouvements rapides finals. C'est également la sonorité du violon qui doit conférer aux mouvements lents intermédiaires le calme exigé par leur cantilène. Dans les fugues, la stricte polyphonie de Bach dépasse de beaucoup l'image de sa réalisation écrite, et atteint avec un minimum de moyens (le violon) un maximum de richesse polyphonique. Celle-ci doit également être mise en évidence par les nuances, car elle conduit à la plus grande intensité d'émotion. On pourra constater à l'usage que l'utilisation d'instruments

und zu stillen. (Quantz, Versuch einer Anweisung, die Flöte traversière zu spielen, Berlin 1752, Faksimile der 3. Aufl. 1789, Kassel und Basel 1953.)
Die in den Sonaten und Partiten vorkommenden *Verzierungen* betreffen nur die sogenannten „wesentlichen Manieren" und sind von Bach oft ausgeschrieben. Gelegentlich sind Verzierungen in Analogie zu ergänzen, wie etwa der übliche Triller auf der Penultima der Hauptkadenzen. Die Verzierungen dieser Zeit beginnen genau mit der Zählzeit, sie müssen in langsamen Sätze ruhiger gespielt werden als in schnellen. Der Triller hat generell mit der oberen Nebennote zu beginnen, auch wenn diese bereits vorausgeht (tremblement détaché). Geht die obere Nebennote im Triller unter dem gleichen Artikulationsbogen voraus, so wird sie übergehalten. Der Triller beginnt in diesem Fall kurz nach der Zählzeit mit der Hauptnote (tremblement lié).
Ob der Triller einen Nachschlag oder eine Antizipation hat und damit auf der Hauptnote stehen bleiben muß (point d'arrêt), richtet sich, wenn von Bach nicht ausgeschrieben, nach dem Charakter der Stelle und dem Geschmack des Ausführenden. Das Anhalten des Trillers (point d'arrêt) erfolgt bei zweiteilig aufzuteilenden Notenwerten auf die zweite Hälfte,

die Flöte traversière zu spielen, Berlin 1752; facsimile of the third printing, 1789, Cassel and Basel, 1953), the listener's feelings were to be continually excited and calmed.
The embellishments which occur in the sonatas and partitas are only the so-called "essential ornaments" which were often written out in full by Bach. Occasionally embellishments have to be completed by analogy with others; an example of this is the customary trill on the penultimate note at perfect cadences. The embellishments of this period begin exactly on the beat and must be played more gently in slower movements than in quicker movements. Generally speaking, the trill has to begin with the upper auxiliary note, even when this note already precedes it (*tremblement détaché*). If the upper auxiliary note precedes the trill under the same slur, it is tied over. In this case, the trill begins with the principal note shortly after the beat (*tremblement lié*).
It depends on the nature of the passage and the taste of the performer whether a trill which has not been written out in full by Bach has an after-beat or an anticipation and, consequently, must remain on the principal note (*point d'arrêt).* The end of the trill (*point d'arrêt*) is on the second half of the note when the note-values are divisible by two

historiques ne contredit nullement ce qui précède. D'après Quantz encore, il importe de toujours éveiller et apaiser les passions chez l'auditeur (Quantz: «Versuch einer Anweisung, die Flöte traversière zu spielen», Berlin 1752, fac-similé de la 3e édition 1789, Kassel et Bâle 1953).
Dans les Sonates et Partitas, Bach n'a noté que les ornements les plus courants, qui sont souvent transcrits en toutes notes. Occasionnellement, ils sont à compléter selon des analogies, comme par exemple le trille habituel sur l'avant-dernière note des principales cadences. Les ornements de cette époque commencent exactement sur le temps; ils doivent être joués plus calmement dans les mouvements lents que dans les mouvements rapides. Le trille doit généralement commencer par la note supérieure, même si celle-ci le précède (tremblement détaché). Si cette note supérieure est comprise dans le même coup d'archet que le trille, elle sera tenue et liée à ce dernier. Le trille commence alors peu après le temps par la note principale (tremblement lié).
La résolution du trille avec ou sans point d'arrêt dépend du caractère du passage ou du goût de l'exécutant, à moins que Bach ne l'ait notée avec précision. Ce point d'arrêt se situera sur la deuxième moitié

bei dreiteilig aufzugliedernden auf das letzte Drittel der Note.

and on the last third of the note when the note-values are divisible by three.

ou le troisième tiers de la note, selon sa valeur binaire ou ternaire.

Diese Form des Trillers ist bei Kadenzen besonders häufig angewendet worden. Die Dauer der „veränderlichen" langen Vorschläge, die meist einen frei einsetzenden Vorhalt darstellen, kann veränderlich den Vorstellungen und dem Geschmack des Interpreten überlassen bleiben. Beispiel: Menuet II der E-Dur-Partita, Takt 2

This form of the trill is employed particularly at cadences. The duration of the "variable" long grace-notes, the majority of which are essentially accented passing-notes, can be left to the intuition and taste of the player. Example: Menuet II from the E major Partita, bar 2

Cette forme de trille a été utilisée tout particulièrement dans les cadences. La durée variable des appogiatures constituant une sorte de libre broderie peut être laissée au goût des intreprètes.
Exemple: Menuet II de la Partita en mi majeur, mes. 2

In seinem „Versuch einer gründlichen Violinschule", Augsburg 1756, Faksimile-Ausgabe Leipzig 1956, VII. Hauptstück § 1, schreibt Leopold Mozart, daß der *Bogenstrich* „das Mittelding sey, durch dessen vernünftigen Gebrauch wir erst die angezeigten Affecten bei den Zuhörern zu erregen in den Stand gesetzt werden". Vor allem die Bogenbehandlung schafft für diese Musik die technischen Möglichkeiten zur Realisierung des beabsichtigten

In his "Versuch einer gründlichen Violinschule", Augsburg 1756 (facsimile edition Leipzig 1956, Section VII § 1), Leopold Mozart writes that, by making intelligent use of the bow, we are able to "arouse the emotions of the listeners in the way intended". Above all, the treatment of the bow in this music makes it technically possible for the player to perform it with the appropriate expression. Playing of chords, expressive cantabile playing, and the

Dans son «Essai d'une école méthodique du violon» (Versuch einer gründlichen Violinschule), Augsburg 1756, édition fac-similé Leipzig 1956, VII, pièce principale § 1, Léopold Mozart écrit: «que le coup d'archet – utilisé à bon escient – est le moyen par lequel nous sommes à même d'éveiller chez l'auditeur les émotions suggérées par la musique». C'est avant tout la maîtrise de l'archet qui crée les possibilités techniques de réaliser les inten-

Ausdrucks. Akkordspiel, kantable Expressivität und Mannigfaltigkeit der Artikulationen verlangen eine ökonomische Bogeneinteilung, bei der Druck und Zug so kompensiert werden, daß schlechte Betonungen unmöglich sind, wobei außerdem darauf zu achten ist, daß die sensible Dynamik und Agogik auch im Dienste der Phrasierung, d. h. der Konstruktion stehen und als Mittel zur Verdeutlichung der Gliederung eines Satzes genutzt werden müssen. Das Akkordspiel ist klanglich oft unbefriedigend, wenn heftige und zu schnelle Bewegungen des Bogens ungewollte Akzente setzen. In den langsamen Sätzen wird die melodische Linie durch stützende Akkorde quasi begleitet. Hier sind beim Akkordspiel musikalisch widersinnige Betonungen zu vermeiden. Ebenso kann das Arpeggio nach unten, das Zurückschlagen der Akkorde, genauso wohlklingend ausgeführt werden, wie das runde Arpeggio nach oben, wobei auch hier daran zu denken ist, daß unser inneres Ohr kurz angespielte Töne weiterzuhören in der Lage ist. Oft kann eine sinnvolle Aufteilung des Arpeggio (zwei plus zwei, eins plus drei, drei plus eins) die „Stimmigkeit" der Akkorde und das polyphone Gewebe besser verdeutlichen. Das Zurückschlagen der Akkorde wird von Rameau in seinen „Pièces de clavecin en concert" ausdrücklich erwähnt: „Aux endroits où l'on ne peut aisément exécuter deux ou plusieurs notes ensemble ou bien on les harpège en s'arrêtant à celle du côté de laquelle le chant continue; ou bien on préfère, tantôt les celles d'en bas; selon l'explication suivante." (Dort wo es schwierig ist, zwei oder drei Töne gleichzeitig zu spielen, arpeggiert man diese und hält den Ton, von dem aus die Melodie fortgesetzt wird, oder man gibt bald den höchsten, bald den tiefsten Noten den Vorzug . . .) Ohne in die Kontroverse um den sogenannten Bach-Bogen eingreifen zu wollen, sei daran erinnert, daß mit dem modernen konkaven Bogen drei Töne über eine kurze Dauer gleichzeitig klanglich befriedigend gehalten werden können, wenn Bogendruck und -geschwindigkeit entsprechend gewählt werden. Das Akkordspiel muß nicht den klanglichen Fluß zerhacken, wenn es wohlklingend ausgeführt wird, d. h. wenn die Affekte des Spielers sich nicht im Technischen sondern im Expressiven manifestieren. Für das Passagenwerk gleich welcher Artikulation sollte die Regel gelten, daß alle Noten gleich lang bzw. gleich kurz artikuliert werden. Der gut trennende Détachéstrich ist der Grundstrich für die schnellen Sätze, ihm sind die geforderten Artikulationen sinnvoll einzupassen. Wir wissen aus der „Aufrichtigen Anleitung" zu den Inventionen, daß die Kantabilität die Klangvorstellungen Bachs auch auf den Tasteninstrumenten be-

various types of articulation all require an economical distribution of the bow in which bow-pressure and bow-stroke are manipulated in such a way that there is no possibility of wrong accentuations and in which care must be taken that dynamics and agogics are used judiciously in the service of phrasing, i. e. of structure, and as a means of clarifying the over-all shape of a movement. The sound of chordal playing is often unsatisfactory when vigorous and too quick movements of the bow create undesirable accents. In the slow movements the melodic line is quasi accompanied by supporting chords. In playing these chords, accents which are contrary to the musical sense are to be avoided. The arpeggio starting from the highest note – the "recoil" of the chord – can also be played just as sonorously as the full-sounding arpeggio starting from the lowest note. It should also be remembered in this context that our inner ear is able to continue hearing those notes that have only been touched upon. An intelligent division of the arpeggios (two plus two, one plus three, three plus one) can often give greater clarity to the "voice leading" of the chords and the polyphonic web. The recoil of chords is expressly mentioned by Rameau in his "Pièces de clavecin en concert": "Aux endroits où l'on ne peut aisément exécuter deux ou plusieurs notes ensemble ou bien on les harpège en s'arrêtant à celle du côté de laquelle le chant continue; ou bien on préfère, tantôt les celles d'en bas, selon l'explication suivante." ("In those passages where it is difficult to play two or three notes at the same time, they are arpeggiated and the melody note is sustained; or sometimes the highest, sometimes the lowest notes are given prominence . . .") Without wishing to become involved in the controversy surrounding the so-called Bach bow, it should be borne in mind that with the modern concave bow three notes can be played together satisfactorily for a short space of time if the correct bow pressure and speed are chosen. The playing of chords must not distort the euphonious flow of sound, i. e. when the player is concentrating more on musical expression than on technical display. In passage work, no matter what articulation is required, the player should abide by the rule that all notes are to be articulated equally long or equally short. The well-separated détaché stroke is the basic bow-stroke in the quick movements, and the required articulations have to conform meaningfully to it. We know from the "Candid Introduction" to the Inventions that Bach's ideas of sonority were also associated with cantabile playing in the case of keyboard instruments: " . . . to desire above all else a cantabile style in playing . . . " (J. S. Bach, Inventions

tions expressives de cette musique. Le jeu d'accords, la cantilène expressive et la variété des coups d'archet exige une certaine économie dans la division de l'archet, le poids et la vitesse devant se compenser de manière à rendre impossible toute fausse accentuation. Et bien entendu il faut veiller à ce que toutes ces subtilités tant dynamiques qu'agogiques soient également au service du phrasé, c'est-à-dire de la construction, de même qu'à la clarification de la structure d'un mouvement. L'exécution d'accords est souvent insatisfaisante au point de vue sonore, lorsque des mouvements brusques de l'archet provoquent des accents involontaires. Dans les mouvements lents, la ligne mélodique est comme soutenue par des accords d'accompagnement. C'est là qu'il s'agit particulièrement d'éviter des accentuations illogiques. De même en arpégeant l'accord de haut en bas on peut obtenir un aussi bon résultat sonore que par l'arpège arrondi traditionnel de bas en haut. Là aussi, il convient de se souvenir que notre oreille intérieure est capable de prolonger la perception de sons fugitifs. Souvent une judicieuse répartition de l'arpège (deux plus deux, un plus trois, trois plus un) permet de mieux préciser la nature sonore des accords et la trame polyphonique. La réversibilité des accords est prévue d'une manière explicite par Rameau dans ses «Pièces de clavecin en concert»: «Aux endroits où l'on ne peut aisément exécuter deux ou plusieurs notes ensemble, ou bien on les harpège en s'arrêtant à celle du côté de laquelle le chant continue, ou bien on préfère tantôt les celles d'en-bas . . . » Sans vouloir entrer dans la controverse autour de ce qu'on appelle «l'archet Bach», il convient de rappeler qu'avec les archets concaves modernes il est possible de tenir un accord de trois sons pour une courte durée de manière satisfaisante si le poids et la vitesse de l'archet sont choisis en conséquence. L'exécution des accords ne risque pas de hacher le discours sonore si elle est conduite avec un souci de la sonorité et si la personnalité de l'interprète se manifeste non sur le plan technique mais sur celui de l'expression. Dans les traits, quel qu'en soit le coup d'archet, il s'agit de conserver à chaque note la même longueur (ou brièveté). Le détaché bien net est le coup d'archet de base pour les mouvements rapides, et les articulations doivent s'y adapter. Nous savons par l'introduction à ses «Inventions» que c'est le «cantabile» qui correspondait à la conception sonore de Bach, même sur un instrument à clavier «am allermeisten aber eine kantable Art im Spielen zu erlangen» (J. S. Bach: «Inventionen und Sinfonien», fac-similé d'après le manuscrit original (1723), propriété de la Deutsche Staatsbibliothek, Peters Leipzig, O. J.).

stimmte: „... am allermeisten aber eine cantable Art im Spielen zu erlangen ..." (J. S. Bach, Inventionen und Sinfonien, Faksimile nach der im Besitz der Deutschen Staatsbibliothek in Berlin befindlichen Urschrift [1723], Peters, Leipzig o. J.).
Die Wahl des *Fingersatzes* unterliegt heute der unverzichtbaren Forderung nach der Perfektion der Intonation und der Glätte der Technik, bei der hörbare, technische glissandi vermieden werden. Mit Hilfe der Spreiztechnik und umgekehrt der Technik, die Finger aus der normalen Quartstellung in Halbtönen nebeneinander zu setzen, gelingt es, den kantablen, ungebrochenen Fluß auch bei Akkordspiel zu gewährleisten, wobei das Liegenlassen der Finger als Voraussetzung praktiziert werden sollte. Die unteren hell und klar klingenden Lagen mit entsprechend glatter Saitenwechseltechnik des rechten Arms muß bevorzugt werden. Das Spiel in hohen Lagen und der hieraus resultierende spezifische Klang war der Bach-Zeit weitgehend unbekannt, ebenso gehört der una-corda-Effekt einer späteren Zeit an.
Das *Vibrato* auf den Streichinstrumenten wurde in der Zeit Bachs vor allem als Auszierung von langen Noten, meist mit einem crescendo-diminuendo-Effekt verbunden, gelehrt. Das moderne Violinspiel erfordert ein permanentes Vibrato als Tribut an den Geschmack unserer Zeit. Die Interpretation alter Musik auf modernen Instrumenten sollte allerdings, der Interpretation romantischer Musik entgegengesetzt, eine gleichmäßige, nicht zu schnelle Bebung anwenden. Der Klang der Barockinstrumente erlaubt auch heute nur den wesentlich eingeschränkten Gebrauch des Vibrato.
Es sei daran erinnert, daß Bach, der Tradition seiner Familie getreu, zunächst einmal Geiger war und seine Solosonaten und -partiten sicherlich auch selbst gespielt hat (s. Fingersatz im Autograph Partita III, Satz 3, T. 34). Es ist anzunehmen, daß die Sonaten und Partiten nicht nur in der Kammermusik, sondern auch in der Kirchenmusik Verwendung fanden. Forkel schreibt bei der Aufzählung der Bachschen Werke unter „Instrumentalsachen": „Es gibt wenige Instrumente, für welche Bach nicht etwas componirt hat. Zu seiner Zeit wurde in der Kirche während der Communion gewöhnlich ein Concert oder Solo auf irgend einem Instrument gespielt. Solche Stücke setzte er häufig selbst, und richtete sie immer so ein, daß seine Spieler dadurch auf ihren Instrumenten weiter kommen konnten." (J. N. Forkel, über Johann Sebastian Bachs Leben, Kunst und Kunstwerke, Leipzig 1802, Neudruck Bärenreiter, Kassel 1974.)
Die musikalische Idee und ihre klangliche Realisierung stehen sich in den Sonaten

and Sinfonias; facsimile of the MS. [1723] located in the Deutsche Staatsbibliothek in Berlin; Peters, Leipzig, n. d.).
The choice of fingering today is determined by the incontestable demand for a perfect intonation and a smooth technique in which audible technical glissandi are avoided. With the help of extended positions and, conversely, the technique of placing the fingers next to each other a semitone apart rather than in the normal position spanning a fourth, an unbroken cantabile flow can be guaranteed even in chord playing. For this to be effectively accomplished, it is necessary that the fingers remain on the string. Preference must be given to the lower positions, which have a bright and clear sound, with a corresponding smooth right arm technique in changing strings. Playing in high positions, which results in a particular type of sound, was largely unknown during the Bach period. The *una corda* effect also belongs to a later period.
Vibrato on string instruments was taught during Bach's time particularly as an embellishment of long notes and usually connected with a *crescendo - diminuendo* effect. Modern violin playing requires a permanent vibrato in deference to present-day taste. Nevertheless, the interpretation of old music on modern instruments should be in complete contrast to the interpretation of Romantic music and should employ an even, not too quick vibrato. The sound of Baroque instruments in use today permits only an essentially limited vibrato.
It must be remembered that Bach, faithful to the tradition of his family, was a violinist first of all and would certainly have played his own solo sonatas and partitas (see the fingering in the autograph of Partita III, 3rd movement, bar 34). We can assume that the sonatas and partitas were played not only at home but also in the church. In summing up Bach's works under the heading "Instrumental matters", Forkel has the following to say: "There are only few instruments for which Bach did not write something. In this period, a concerto or a solo on some instrument or another was normally played in the church during Communion. He composed a large number of this type of music himself, and always wrote them in such a way as to encourage his players to make further progress on their instruments" (J. N. Forkel, *Über Johann Sebastian Bachs Leben, Kunst und Kunstwerke*, Leipzig 1802; re-print Bärenreiter, Cassel 1974).
The musical idea and its realisation as sound event provide a contrast in Bach's sonatas and partitas which can only be resolved with difficulty. The solving of technical problems in this music must be subordinated to a deep artistic understanding of its contrapuntal texture, its

Le choix des doigtés est soumis aujourd'hui aux exigences absolues d'une intonation parfaite et d'une technique souple, permettant d'éviter de faire entendre les glissandi. Avec l'aide de la technique d'extension, ou à l'inverse de celle laissant les doigts en position chromatique, il est possible d'assurer une ligne chantante continue même dans l'exécution des accords; une bonne préparation consiste à s'exercer à laisser les doigts appuyés.
On donnera la préférence aux positions inférieures plus claires et nettes, avec pour complément une technique très souple de changements de cordes du bras droit. Le jeu dans les positions élevées et la sonorité spécifique en résultant étaient inconnues du temps de Bach, de même que l'effet «una-corda», lequel appartient à une époque plus tardive.
Le vibrato sur les instruments à cordes était enseigné, du temps de Bach, surtout pour agrémenter les notes longues; il était le plus souvent accompagné d'un effet de crescendo-diminuendo. Le jeu moderne du violon exige un vibrato permanent comme tribut au goût de notre époque. Mais l'interprétation de musique ancienne sur des instruments modernes devrait, contrairement à la musique romantique, s'accommoder d'un vibrato aux battements à la fois réguliers et modérés. La sonorité des instruments baroques permet aujourd'hui aussi un usage sensiblement restreint du vibrato.
Rappelons que Bach, conformément à la tradition de sa famille, fut d'abord un violoniste et qu'il a certainement joué lui-même ses Sonates et Partitas pour violon seul (voir doigté dans le manuscrit Partita III, mouvement III mes. 34). Il est à supposer que les Sonates et Partitas n'étaient pas seulement destinées à la musique de chambre mais aussi à la musique d'église. Forkel écrit à l'occasion du recensement des oeuvres de Bach, dans la partie concernant les instruments: «Il existe peu d'instruments pour lesquels Bach n'ait pas composé. A son époque, on faisait habituellement entendre pendant la communion un concerto ou un solo sur l'un ou l'autre instrument. Il composait souvent lui-même de tels morceaux et les arrangeait toujours de manière à permettre à ses exécutants de progresser sur leur instrument» (J. N. Forkel: «Über Johann Sebastian Bachs Leben, Kunst und Kunstwerke», Leipzig 1802, réédition Bärenreiter, Kassel 1974).
L'idée musicale et sa réalisation sonore s'affrontent dans les Sonates et Partitas de Bach, posant des problèmes souvent difficiles à résoudre. La résolution de ces problèmes doit être subordonnée à l'art contrapuntique de cette musique, à sa richesse hamonique et à son expressivité, sous l'impulsion d'une pénétrante intelli-

und Partiten Bachs als nur schwer lösbarer Kontrast gegenüber. Von hohem Kunstverstand geleitet, muß die Lösung der spieltechnischen Probleme dieser Musik, ihrer kontrapunktischen Satzkunst, ihrem harmonischen Reichtum und ihrer Expressivität unterordnet werden, ohne zu vergessen, daß das Wechselspiel von großer dynamischer Spannung und Entspannung jenen hohen Grad der Intensität vom Spieler fordert, der zu allen Zeiten die fesselnde Interpretation bestimmte.

Mainz 1979 *Günter Kehr*

harmonic richness and its expressive language. And it must be remembered that the continual contrast between great dynamic stress and relaxation requires from the player that high degree of intensity which has been the hallmark of a convincing interpretation in every period.

Mainz 1979 *Günter Kehr*

gence artistique, sans oublier que l'alternance de grandes tensions et détentes dynamiques requiert de l'exécutant ce haut degré de maîtrise et d'éloquence qui, de tout temps, a déterminé la valeur d'une interprétation.

Mainz 1979 *Günter Kehr*

Sonata I

BWV 1001

*) tr ohne Nachschlag / tr without after-beat / tr sans résolution

Fuga

Allegro

*) Akkord sehr weich / very supple chord / accord pris très délicatement

Presto
f
dolce
meno f

f
mp
più f
decresc.
dolce

Partita I

BWV 1002

*) Akkord weich / supple chord / accord pris délicatement

dolce
cresc.
tr
Double
mf
dolce
mf
mp
p
sost.
decresc.

Corrente
mf
G
mp
mf
dolce
mp

cresc.
mp
sost.
Double
Presto
f
cresc.
dolce
cresc.
decresc.

mf
dolce
mp
poco a poco più sost.

in tempo
Sarabande
mf
cresc.
f
mp
mf
mp
cresc.
[tr]

Double
mf dolce
(2 3 1)
1.
2.
p
espr.
p
mf
1.
2.
Tempo di Borea
f
tr
meno f

f
tr
mp
A
G
restez
marcato
espr.

Double

Sonata II

BWV 1003

*) an der Spitze / at the point / à la pointe

espr.
cant.
Fuga

f
p
f
p
f
p
f
mp
p
mp
p
mf
f
meno f
f
mp

*) siehe kritische Anmerkungen / see critical remarks / voir observations critiques

in tempo

*) Unterstimme d' wiederholt / lower part d' repeated / voix inférieure: ré répété

A
cresc.

dolce
cresc.

*) übliche Ausführung / usual manner of performance / exécution habituelle

Partita II

BWV 1004

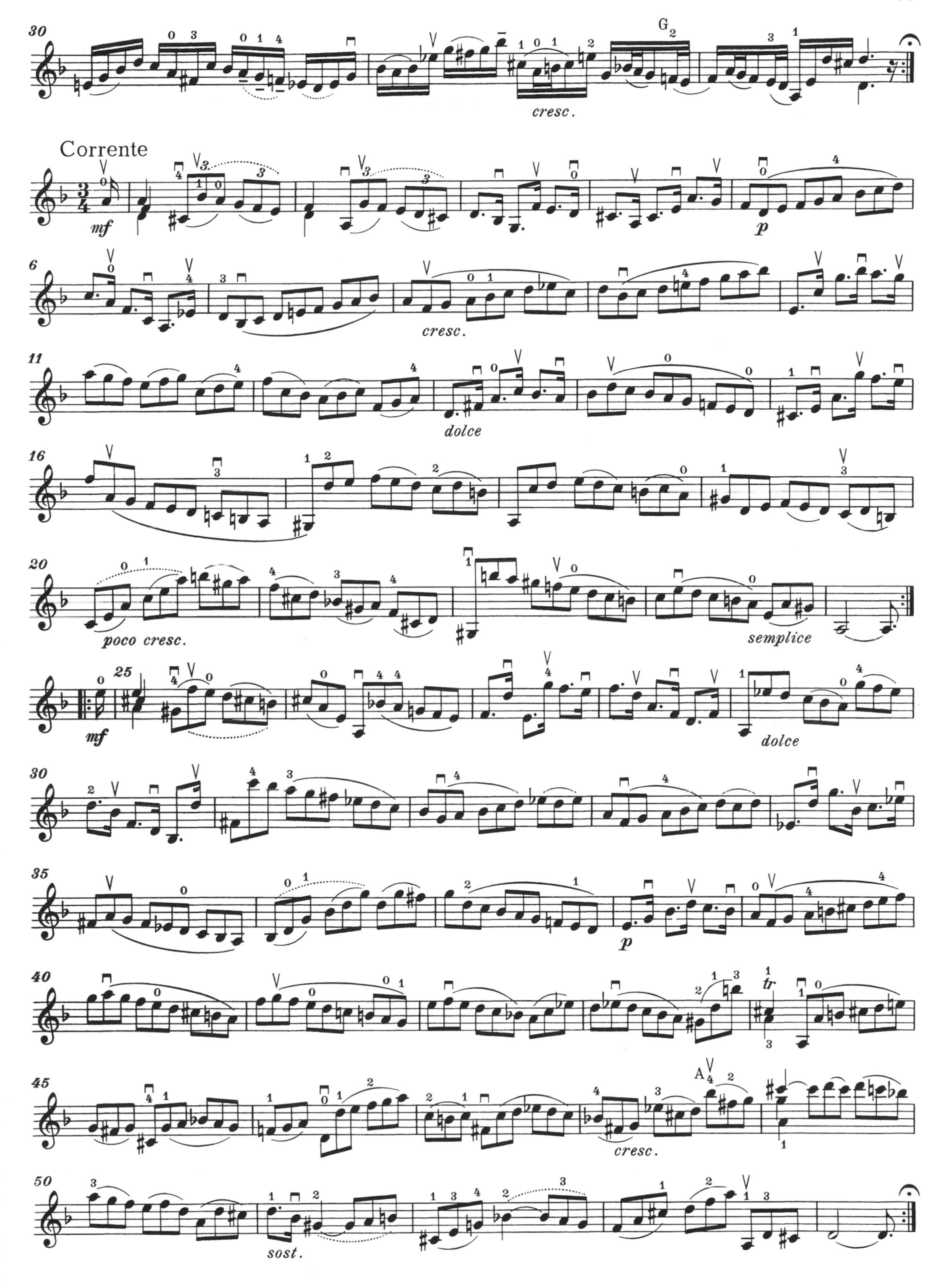
cresc.
Corrente
mf
p
cresc.
dolce
poco cresc.
semplice
mf
dolce
p
cresc.
sost.

*) Oberstimme e" wiederholt / upper part e" repeated / voix supérieure: mi répété
**) Unterstimme g' wiederholt / lower part g' repeated / voix inférieure: sol répété
***) obere Bogenhälfte / upper half of the bow / moitié supérieure de l'archet

Giga

mf
mp
cresc.
p
f
dolce
mp
mf
f
in tempo

*) Unterstimmen wiederholt, ebenso in den Takten 125, 126, 185, 186, 208, 248, 249

*) lower parts repeated, also in bars 125, 126, 185, 186, 208, 248, 249

*) voix inférieures répétées, de même dans les mesures 125, 126, 185, 186, 208, 248, 249

rinf.
G
mp
p
mf
f
rinf. poco a poco
tr
[tr]

dolce
A
senza gliss.
mp
restez
G
arpeggio
pp
ossia
ossia
cresc. sempre
espr.
T. 96 - 104
T. 102
T. 104 - 112
T. 105
T. 112 - 119
T. 116

ben ritmato
D
G
f
mp
mp
dolce
sim.

159
sim.
162
165
168
mf
171
174
cresc.
178
183
190
sost.

197
arp.*)
f
203
mp ma
209
sempre espr.
213
dolce
216
219
222
G
225
227
cresc.
G
mf

mp
decresc.
cresc. sempre
f e maestoso

Sonata III

BWV 1005

Fuga

*) Unterstimme d' wiederholt (ebenso in T. 301)

*) lower part d' repeated (also in bar 301)

*) voix inférieure: ré répété (également dans la mesure 301)

mp
sim.
p
cresc.
f
mp
f

*) Oberstimme g” wiederholt / upper part g” repeated / voix supérieure: sol répété

tr
mp e dolce
p
f
al riverso
f
mp

f
cresc.
mp e dolce

305
mp
311
f
316
f
322
mp
327
331
f
335
340
f
345
350

Largo
mp
p
dolce
cresc.
mf
p
espr.
sempre sost.
dolce
cresc.
dolce
tranq.
cal.

Allegro assai
f
p
cresc.
f
p
f
p
cresc.

43
f
46
49
p
52
55
f
58
p
61
f
64
67
70
p

dolce
mp
cresc.
cresc.

Partita III

BWV 1006

Preludio

cresc.
decresc.

mf
decresc.
p
cresc.
f
[tr]

*) tr ohne Nachschlag / tr without after-beat / tr sans résolution

*) Fingersatz autograph / Fingering in autograph / doigté autographe

f
mf
cresc.
p
cal.
mp
deciso
Menuet I
f
mp
cant.
f
mp
mf

Menuet II
mp
dolce
A
mf
espr.
p
Bourée
f
p
G

Gigue

Kritische Anmerkungen

Quellen:

A: Autograph

Staatsbibliothek preußischer Kulturbesitz, Berlin
Signatur: Mus. ms. Bach autogr. P 967.
Titel: „Sei Solo. / a / Violino / senza / Basso / accompagnato. / Libro Primo./da/Joh: Seb: Bach./ao.1720."
Inhalt: BWV 1001 - 1006

B: Abschrift von der Hand Anna Magdalena Bachs

Staatsbibliothek preußischer Kulturbesitz, Berlin
Signatur: Mus. ms. Bach P 268.
Titel: „Pars 1. / Violino Solo / Senza Basso / composée / par / S^{r}. Jean Seb: Bach. / Pars 2. / Violoncello Solo / Senza Basso. / composée / par / S^{r}. J. S. Bach. / Maitre de la Chapelle / et / Directeur de la Musique/a/Leipsic./ ecrite par Madame / Bachen. Son Epouse."
Inhalt: BWV 1001 - 1006
Geschrieben zwischen 1725 und 1734.

C: Anonyme Abschrift

Deutsche Staatsbibliothek Berlin
Signatur: Mus. ms. Bach P 267.
Titel: „VI Violin-Solos / von / Joh. Sebast: Bach"
Inhalt: BWV 1001 - 1006
Zwei verschiedene Schreiber: BWV 1001 - 1005 wurde vermutlich um 1725 geschrieben, BWV 1006 in der 2. Hälfte des 18. Jahrhunderts.

A ist eine außergewöhnlich schöne und sehr gut lesbare Reinschrift. B wurde von A abgeschrieben; sie bietet eine getreue Kopie von A, doch fällt eine oft flüchtige und ungenaue, auch inkonsequente Bogensetzung auf. C geht nicht auf A, sondern vermutlich auf eine Zwischenquelle (ev. eine vor 1720 entstandene Vorlage Bachs zu A) zurück und weist ebenfalls Flüchtigkeiten und Fehler auf. Als Quelle zum vorliegenden Notentext wurde A der unbedingte Vorrang eingeräumt; B und C dienten lediglich in Zweifelsfällen zum Vergleich.
Bei der Durchsicht der Handschriften war dem Herausgeber die Heranziehung der Erkenntnisse der neuen Bach-Gesamtausgabe (NBA) ein besonderes Anliegen.
Es finden sich hier nur die wesentlichen Abweichungen von A vermerkt. Durch Anpassung an moderne Schreibweise bedingte Änderungen (Notenbehalsung, Schlüssel, Akzidentiensetzung, Wiederholungszeichen) sind nicht erwähnt.

Critical Remarks

Sources:

A: Autograph

Staatsbibliothek preußischer Kulturbesitz, Berlin
Press-mark: Mus. ms. Bach autogr. P 967.
Title: "Sei Solo. / a / Violino / senza / Basso/accompagnato./Libro Primo./ da/Joh: Seb: Bach./ao. 1720."
Contents: BWV 1001 - 1006

B: Copy made by Anna Magdalena Bach

Staatsbibliothek preußischer Kulturbesitz, Berlin
Press-mark: Mus. ms. Bach P 268.
Title: "Pars 1. / Violino Solo / Senza Basso / composée / par / S^{r}. Jean Seb: Bach. / Pars 2. / Violoncello Solo / Senza Basso. / composée / par / S^{r}. J. S. Bach. / Maitre de la Chapelle / et / Directeur de la Musique/a/Leipsic./ ecrite par Madame / Bachen. Son Epouse."
Contents: BWV 1001 - 1006
Written between 1725 and 1734.

C: Anonymous copy

Deutsche Staatsbibliothek Berlin
Press-mark: Mus. ms. Bach P 267.
Title: "VI Violin-Solos / von / Joh. Sebast: Bach"
Contents: BWV 1001 - 1006
Two different writers: BWV 1001 - 1005 were probably written c. 1725, and BWV 1006 in the 2nd half of the 18th century.

A is an exceptionally fine and extremely legible fair copy. B is a faithful copy of A but is conspicuous for its frequently careless, inexact, and also inconsequential phrasing. C is not based on A but is probably derived from an intermediate source (possibly one of Bach's models for A, written before 1720) and also contains careless inconsistencies and errors. A was regarded without question as the primary source for this edition, and B and C were used merely for purposes of comparison in cases of doubt.
In examining the manuscripts the editor was particularly concerned to draw on the findings of the new Bach edition (NBA).
Only the essential deviations from A are indicated in this edition. There is no reference to specific alterations (barring of notes, clefs, placing of accidentals, repeat signs) which have been made in order to bring the original into conformity with modern notational practice.

Observations critiques

Sources:

A. Manuscrit autographe

Staatsbibliothek preussischer Kulturbesitz, Berlin
Référence: Mus. ms. Bach autogr. P 967.
Titre: «Sei Solo. / a / Violino / senza / Basso/accompagnato./ Libro Primo./ da/Joh: Seb: Bach./ao. 1720.»
Contenu: BWV 1001 - 1006

B. Copie de la main d'Anna Magdalena Bach

Staatsbibliothek preussischer Kulturbesitz, Berlin
Référence: Mus. ms. Bach P 268.
Titre: «Pars 1. / Violino Solo / Senza Basso / composée / par / S^{r}. Jean Seb: Bach / Pars 2. / Violoncello Solo / Senza Basso. / composée / par S^{r}. J. S. Bach. / Maitre de la Chapelle / et / Directeur de la Musique/a/Leipsic./ ecrite par Madame / Bachen. Son Epouse.»
Contenu: BWV 1001 - 1006
Ecrit entre 1725 et 1734.

C. Copie anonyme

Deutsche Staatsbibliothek Berlin
Référence: Mus. ms. Bach P 267.
Titre: «VI Violin-Solos/von/Joh. Sebast: Bach»
Contenu: BWV 1001 - 1006
Deux copistes différents: BWV 1001 - 1005 écrit probablement vers 1725, BWV 1006 dans la deuxième moitié du XVIIIe siècle.

A. est une exceptionnellement belle et très lisible mise au net. B. est une copie de A.; elle offre une fidèle reproduction de A., avec cependant une notation souvent superficielle et imprécise, voire inconséquente, des liaisons. C. ne se réfère pas à A., mais probablement à une source intermédiaire, éventuellement un brouillon pour A., écrit avant 1720, et présente également des négligences et des erreurs. Comme source du présent texte, la priorité absolue a été accordée à A.; B. et C. n'ont servi qu'à titre de comparaison dans des cas douteux.
Lors de l'examen des manuscrits, le recours à la version de la nouvelle édition complète des oeuvres de Bach (Neue Bach-Gesamtausgabe - NBA) nous a été particulièrement précieux.
On n'a noté ici que les principales divergences d'avec A. On ne mentionnera pas les modifications dictées par une adaptation à l'écriture moderne dans la notation de certains signes (queues de notes, clefs, accidents, signes de reprise).

Sonata I
BWV 1001

I. Satz: Adagio

Takt
3 A, B: 3. Note Unterstimme: e' statt es'; C hat es'.
A, B: die zwei letzten Noten b' und c" nur Vierundsechzigstel; C hat die richtige Lesart.
11 3. Viertel: A, B: Vorschlagsnote ohne Bogen
21 2. Viertel: A, B, C: ohne Triolenziffer auf Vierundsechzigsteln
A, B: drittletzte Note g" als Zweiunddreißigstel statt Sechzehntel; C hat die richtige Lesart.

2. Satz: Fuga

Takt
2 A, B, C: 6. Note Unterstimme: e' statt es'
31 2. Viertel: Note g in Unterstimme ergänzt
34 1. Viertel: A, C: ohne Bogen

3. Satz: Siciliana

Takt
7 A, B: 3. Achtel mit Punkt über der Note; vermutlich Schreibversehen, kaum als Staccatopunkt zu deuten.

4. Satz: Presto

Takt
102 A: Bogen über Noten 1-5, auch als 1-6 zu deuten

Sonata I
BWV 1001

1st movement: Adagio

Bar
3 A, B: 3rd note, lower part: e' instead of e'♭; C has e'♭.
A, B: the two final notes b'♭ and c" only hemidemisemiquavers; C has the correct reading.
11 3rd crotchet: A, B: appoggiatura without slur
21 2nd crotchet: A, B, C: no triplet figure on the hemidemisemiquavers
A, B: third last note g" as a demisemiquaver instead of a semiquaver; C has the correct reading.

2nd movement: Fuga

Bar
2 A, B, C: 6th note, lower part: e' instead of e'♭
31 2nd crotchet: note g added in the lower part
34 1st crotchet: A, C: no slur

3rd movement: Siciliana

Bar
7 A, B: 3rd quaver has dot above the note; probably a writing mistake, and can hardly be interpreted as a staccato dot.

4th movement: Presto

Bar
102 A: slur over notes 1-5, also to be interpreted as 1-6

Sonata I
BWV 1001

1er mouvement: Adagio

Mesure
3 A., B.: 3e note voix inférieure: mi à la place de mi bémol; C.: donne mi bémol.
A., B.: les deux dernières notes si bémol et do seulement quadruples croches; C. a la bonne version.
11 3e temps: A., B.: petite note sans liaison
21 2e temps: A., B., C.: sans indication de triolet sous les quadruples croches.
A., B.: antépénultième note: sol: triple croche au lieu de double croche; C. a la bonne version.

2e mouvement: Fuga

Mesure
2 A., B., C.: 6e note voix inférieure: mi au lieu de mi bémol
31 2e temps: un sol ajouté dans la voix inférieure
34 1er temps: A., C.: sans liaison

3e mouvement: Siciliana

Mesure
7 A., B.: 3e croche avec point sur la note; erreur probable d'écriture; ne saurait être considéré comme un point de staccato.

4e mouvement: Presto

Mesure
102 liaison sur les notes 1–5, peut être compris aussi comme de 1 – 6.

Partita 1
BWV 1002

1. Satz: Allemanda

Takt
1 3. Viertel: A, C: Note fis" ohne Verlängerungspunkt
4 2. Viertel: A, B, C: letzte Note h' als Sechzehntel statt Zweiunddreißigstel
5 3. Viertel: A, B, C: ohne Triolenziffer auf Zweiunddreißigsteln; NBA:

11 3. Viertel: } A, B, C: ohne Triolenziffer
18 1. Viertel: } auf Vierundsechzigsteln;
21 1. Viertel: } NBA:

15 A, B, C: 1. Sechzehntelnote in den drei unteren Stimmen ohne Verlängerungspunkt
A, B, C: viertletzte Note cis", so auch NBA. Vermutlich vergaß Bach das ♮, vgl. Sonata II, Grave T. 9.

Partita I
BWV 1002

1st movement: Allemanda

Bar
1 3rd crotchet: A, C: note f" # without prolongation dot
4 2nd crotchet: A, B, C: final note b' as semiquaver instead of demisemiquaver
5 3rd crotchet: A, B, C: no triplet figure on the demisemiquavers; NBA:

11 3rd crotchet: } A, B, C: no triplet figure
18 1st crotchet: } on the hemidemisemi-
21 1st crotchet: } quavers; NBA:

15 A, B, C: no prolongation dot after the first semiquaver in the three lower parts
A, B, C: fourth last note c" #; also in NBA. Bach probably forgot the ♮; cf. Sonata II, Grave, bar 9.

Partita I
BWV 1002

1er mouvement: Allemanda

Mesure
1 3e temps: A., C.: fa dièse non pointé
4 2e temps: A., B., C.: dernière note si: double croche au lieu de triple croche
5 3e temps: A., B., C.: sans indication de triolet sur les triples croches; NBA:

11 3e temps: } A., B., C.: sans indi-
18 1er temps: } cation de triolet sur les
21 1er temps: } quadruples croches;
NBA:

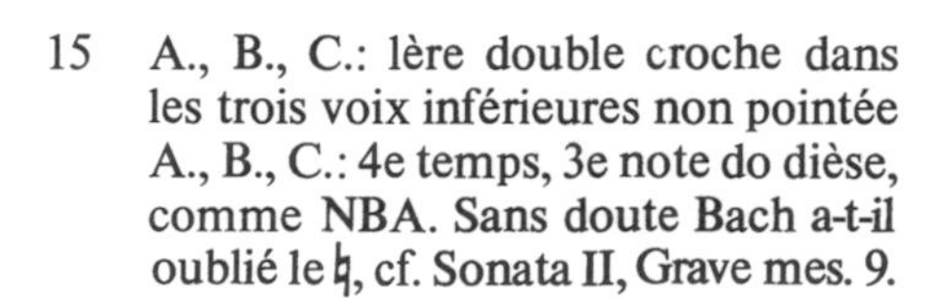

15 A., B., C.: 1ère double croche dans les trois voix inférieures non pointée
A., B., C.: 4e temps, 3e note do dièse, comme NBA. Sans doute Bach a-t-il oublié le ♮, cf. Sonata II, Grave mes. 9.

21 4. Viertel: A, B: Triolengruppe ohne Bogen
23 A, B, C: vorletzte Note e' in Unterstimme als Sechzehntel statt Zweiunddreißigstel
24 𝄿 ergänzt

2. Satz: Double

Takt
23 A: Bogen am Taktanfang über Noten 1-2, auch 1-3 deutbar, jedoch wegen des Vorhalts nicht wahrscheinlich; B, C: ebenfalls Bogen 1-2.

3. Satz: Corrente

Takt
80 𝄾 ergänzt

4. Satz: Double

Takt
72 A, B, C: 2. Note g', so auch NBA; sicherlich ein Schreibfehler Bachs.

6. Satz: Double

Takt
8 Seconda volta: A, B, C: halbe Note ohne Verlängerungspunkt
32 Seconda volta: A, B, C: Viertelnote ohne Verlängerungspunkt

7. Satz: Tempo di Borea

Taktzeichen zu Beginn: A, B: $\frac{2}{4}$, C: C

8. Satz: Double

Taktzeichen zu Beginn: A, B, C: $\frac{2}{4}$

21 4th crotchet: A, B: no slur over triplet group
23 A, B, C: penultimate note e' in lower part a semiquaver instead of a demisemiquaver
24 𝄿 added

2nd movement: Double

Bar
23 A: slur at the beginning of the bar above notes 1-2, also conceivable above notes 1-3 but not likely on account of the suspension; B, C: also slur over notes 1-2.

3rd movement: Corrente

Bar
80 𝄾 added

4th movement: Double

Bar
72 A, B, C: 2nd note g', same in NBA; certainly a writing error on Bach's part.

6th movement: Double

Bar
8 Seconda volta: A, B, C: no prolongation dot after the minim
32 Seconda volta: A, B, C: no prolongation dot after the crotchet

7th movement: Tempo di Borea

Time signature at beginning: A, B: $\frac{2}{4}$; C: C

8th movement: Double

Time signature at beginning: A, B, C: $\frac{2}{4}$

21 4e temps: A., B.: groupe de triolets sans liaison
23 A., B., C.: avant-dernière note mi dans la voix inférieure: double croche au lieu de triple croche
24 𝄿 complété

2e mouvement: Double

Mesure
23 A.: liaison au début de la mesure sur les notes 1-2, éventuellement aussi de 1-3, mais peu probable vu la fonction de retard du sol; B., C.: également liaison 1-2.

3e mouvement: Corrente

Mesure
80 𝄾 complété

4e mouvement: Double

Mesure
72 A., B., C.: 2e note sol, comme NBA; certainement un lapsus de Bach.

6e mouvement: Double

Mesure
8 Seconda volta: A., B., C.: blanche non pointée
32 Seconda volta: A., B., C.: noire non pointée

7e mouvement: Tempo di Borea

A la clef: A., B.: $\frac{2}{4}$, C.: C

8e mouvement: Double

A la clef: A., B., C.: $\frac{2}{4}$

Sonata II
BWV 1003

***1. Satz:* Grave**

Takt
5 **3. Viertel: A, B, C: ohne Triolenziffer auf beiden Vierundsechzigstelgruppen; NBA:**

4. Viertel: A, B, C:

statt

22 **A: Schlußtriller:** 

***2. Satz:* Fuga**

Takt
183 A, B: 6. Note g'. C hat a', ebenso NBA. g' ist melodisch interessanter; siehe auch Takt 184: „Unterstimme" ergibt g' - gis' - a' - g'.

Sonata II
BWV 1003

1st movement: Grave

Bar
5 3rd crotchet: A, B, C: no triplet figure above the two groups of hemidemisemiquavers; NBA:

4th crotchet: A, B, C:

instead of

22 A: final trill:

2nd movement: Fuga

Bar
183 A, B: 6th note g'. C has a', likewise NBA. g' is more interesting melodically; see also bar 184: "lower part" reads g' - g'♯ - a' - g'.

Sonata II
BWV 1003

1er mouvement: Grave

Mesure
5 3e temps: A., B., C.: sans indication de triolet sur les deux groupes de quadruples croches. NBA:

4e temps: A., B., C.:

au lieu de

22 A.: trilles finals: 

2e mouvement: Fuga

Mesure
183 A., B.: 6e note sol. C. donne la, comme NBA. Sol est plus intéressant au point de vue mélodique; voir aussi mes. 184: la «voix inférieure» donne sol - sol dièse - la - sol.

198 2. Viertel: A, B, C: Mittelstimme g'; harmonisch außergewöhnlich, herb. Der Herausgeber bevorzugt, wie die meisten Geiger, den weicher klingenden Sextakkord d' – f' – b'.

3. Satz: Andante

Takt
25 2. Viertel: A, B, C: [rhythm notation],
abgeändert in [rhythm notation]

26 A, B: ohne Angaben der Ziffern 1 und 2 für Prima volta und Seconda volta.

198 2nd crotchet: A, B, C: middle part g'; this is harmonically unusual and harsh. The editor, in common with the majority of violinists, prefers the gentler sound of the sixth chord, d' – f' – b'♭.

3rd movement: Andante

Bar
25 2nd crotchet: A, B, C: [rhythm notation],
altered to [rhythm notation]

26 A, B: no specification of the numbers 1 and 2 for prima volta and seconda volta.

198 2e temps: A., B., C.: voix médiane sol; harmoniquement inhabituel, âpre. L'éditeur préfère, comme la plupart des violonistes, l'accord de sixte ré – fa – si bémol, plus doux à l'oreille.

3e mouvement: Andante

Mesure
25 2e temps: A., B., C.: [rhythm notation],
modifié en [rhythm notation]

26 A., B.: sans indication du chiffre 1 et 2 pour Prima volta et Seconda volta.

Partita II
BWV 1004

1. Satz: Allemanda

Takt
15 2. Viertel: A, C: 2. Notengruppe ohne Bogen, ohne Triolenziffer
16, 32 Am Taktende 𝄿 ergänzt

2. Satz: Corrente

Takt
41 A, B: 7. Note b', so auch NBA; C hat h'. Vermutlich vergaß Bach das ♮, denn h' ergibt den natürlicheren Verlauf der Modulation (Sequenz).
49 A, B, C: Viertelnote in allen drei Stimmen mit Verlängerungspunkt

3. Satz: Sarabanda

Takt
15 3. Viertel: A: Bogen über Noten 1-3, auch 2-4 deutbar; vgl. jedoch Bogensetzung in T. 23 u. 28.

4. Satz: Giga

Takt
17 4. Taktteil: A, B: Noten 1-3 ohne Bogen
21 4. Taktteil: A, B: Noten 1-2 ohne Bogen
38 4. Taktteil: A, B: Noten 1-3 ohne Bogen

5. Satz: Ciaccona

Takt
88 A: 2. Notengruppe ohne 2. Bogen
213 A, B: Achtelnote in beiden Mittelstimmen ohne Verlängerungspunkt
241 A: 3. Notengruppe ohne Bogen

Partita II
BWV 1004

1st movement: Allemanda

Bar
15 2nd crotchet: A, C: no slur and no triplet figure above 2nd group of notes
16, 32 𝄿 added at end of bar

2nd movement: Corrente

Bar
41 A, B: 7th note b'♭, likewise in NBA; C has b'. Bach probably forgot the ♮, as b' fits more naturally into the modulatory sequence.
49 A, B, C: crotchet with prolongation dot in all three parts

3rd movement: Sarabanda

Bar
15 3rd crotchet: A: slur over notes 1-3, also conceivable above notes 2-4; cf. the slurring in bars 23 and 28, however.

4th movement: Giga

Bar
17 4th beat: A, B: no slur over notes 1-3
21 4th beat: A, B: no slur over notes 1-2
38 4th beat: A, B: no slur over notes 1-3

5th movement: Ciaccona

Bar
88 A: no 2nd slur over 2nd group of notes
213 A, B: no prolongation dot after quaver in the two middle parts
241 A: no slur over 3rd group of notes

Partita II
BWV 1004

1er mouvement: Allemanda

Mesure
15 2e temps: A., C.: 2e groupe de notes sans liaison, sans indication de triolet
16, 32 à la fin de la mesure 𝄿 complété

2e mouvement: Corrente

Mesure
41 A., B.: 7e note si bémol, comme NBA; C. a si naturel. Bach a sans doute oublié le bécarre, car le si donne un déroulement plus naturel de la modulation (marche d'harmonie).
49 A., B., C.: la noire dans les trois voix est pointée.

3e mouvement: Sarabanda

Mesure
15 3e temps: A.: liaison sur les notes 1-3, peut être également compris comme 2-4; comparez cependant les liaisons dans les mesures 23 et 28.

4e mouvement: Giga

Mesure
17 4e temps: A., B.: notes 1-3 sans liaison
21 4e temps: A., B.: notes 1-2 sans liaison
38 4e temps: A., B.: notes 1-3 sans liaison

5e mouvement: Ciaccona

Mesure
88 A.: 2e groupe de notes sans la 2e liaison
213 A., B.: croche dans les deux voix médianes non pointée
241 A.: 3e groupe de notes sans liaison

Sonata III
BWV 1005

1. Satz: Adagio

Takt
20 2. Viertel: A, B: ohne Bogen
39 2. Viertel: A, B, C:  ,

abgeändert in

2. Satz: Fuga

Takt
42 A: Bogen über Noten 1-4, auch 2-4 zu deuten; vgl. jedoch T. 330: 1-4
348 A: Bogen über Noten 2-8 statt 2-7 (vgl. T. 60)

Sonata III
BWV 1005

1st movement: Adagio

Bar
20 2nd crotchet: A, B: no slur
39 2nd crotchet: A, B, C:  ,

altered to

2nd movement: Fuga

Bar
42 A: slur over notes 1-4, also conceivable over notes 2-4; cf. bar 330, however: 1-4
348 A: slur over notes 2-8 instead of 2-7 (cf. bar 60)

Sonata III
BWV 1005

1er mouvement: Adagio

Mesure
20 2e temps: A., B.: sans liaison
39 2e temps: A., B., C.:  ,

modifié en

2e mouvement: Fuga

Mesure
42 A: Liaison sur les notes 1-4, peut être compris aussi comme 2–4; cf. cependant mes. 330: 1-4
348 A.: liaisons sur les notes 2-8 au lieu de 2-7 (cf. mes. 60)

Partita III
BWV 1006

1. Satz: Preludio

Takt
19 A, B: 11. Note a" statt gis", Schreibversehen
41 A, B: Bogen über Noten 1-2 und 3-4; weggelassen entsprechend T. 40
84 A, B: ♮ irrtümlich vor 8. Note e' statt vor 7. Note d'

2. Satz: Loure

Takt
22 letztes Viertel: A, B, C: tr ohne ♮

4. Satz: Menuet I

Takt
28 A, B: Achtelnoten ohne Bogen

6. Satz: Bourée

Takt
25 A, B: ohne *f*. Das *f* steht in C.

Partita III
BWV 1006

1st movement: Preludio

Bar
19 A, B: 11th note a" instead of g"#, writing mistake
41 A, B: slur above notes 1-2 and 3-4; omitted in accordance with bar 40
84 A, B: ♮ erroneously preceding 8th note e' instead of 7th note d'

2nd movement: Loure

Bar
22 final crotchet: A, B, C: trill without ♮

4th movement: Menuet I

Bar
28 A, B: no slur over quavers

6th movement: Bourée

Bar
25 A, B: no *f*. There is a *f* in C.

Partita III
BWV 1006

1er mouvement: Preludio

Mesure
19 A., B.: 11e note: la au lieu de sol dièse, erreur de notation
41 A., B.: liaisons sur notes 1-2 et 3-4; supprimées conformément à la mesure 40
84 A., B.: ♮ placé par erreur devant la 8e note mi au lieu de la 7e note ré

2e mouvement: Loure

Mesure
22 dernier temps: A., B., C.: trille sans ♮

4e mouvement: Menuet I

Mesure
28 A., B.: croches sans liaison

6e mouvement: Bourée

Mesure
25 A., B.: sans *f*, le *f* se trouve dans C.

Zeitgenössische Violin-Musik
Contemporary Music for Violin
Musique contemporaine pour violon

Violine solo
Solo Violin
Violon seule

Paul Dessau
Jewish Dance
VLB 109

Jean Françaix
Tema con 8 Variazioni
ED 6980

Barbara Heller
Soloviolline
VLB 90

Hans Werner Henze
Etude philharmonique
ED 6948

Serenade
VLB 74

Sonata per violino solo
"Tirsi, Mopso, Aristeo"
ED 8115

Wilfried Hiller
Ophelia
VLB 106

Paul Hindemith
Sonate Nr. 1 und 2, op. 31
ED 1901/02

Sonate für Violine allein, op. 11/6
ED 9390

Heinz Holliger
Soli für Violine
VLB 124

Souvenirs trémaësques
VLB 141

Toshi Ichiyanagi
Perspectives
SJ 1033

Volker David Kirchner
Pietà
VLB 104

Krzysztof Penderecki
Capriccio per violino solo
VLB 133

Tanz für Violine solo
VLB 146

Joaquín Rodrigo
Capriccio
ED 7846

Benjamin Schweitzer
Pop Goes The Weasel
VLB 105

Rodion Shchedrin
Balalaika
VLB 93

Diptych
VLB 111

Gypsy Melody
VLB 120

Igor Strawinsky
Elegie (auch für Viola)
VLB 47

Jörg Widmann
Études
Heft 1 (I–III) / Heft 2 (IV–VI)
VLB 108 / VLB 153

Bernd Alois Zimmermann
Sonate
ED 4907

Zwei und mehr Violinen
Two and more Violins
Deux et plus violons

Gavin Bryars
Die letzten Tage
ED 12472

Harald Genzmer
Spielbuch für drei Geigen
ED 2753

Paul Hindemith
14 leichte Stücke für 2 Violinen
ED 2211

Kanonische Vortragsstücke und
kanonische Variationen
für 2 Violinen
ED 2212

György Ligeti
Ballade und Tanz nach
rumänischen Volksliedern
ED 8371

Ernst Pepping
Variationen und Suite für zwei
Violinen
ED 2218

Toru Takemitsu
Rocking Mirror Daybreak
für 2 Violinen
SJ 1017

Violine und Klavier
Violin and Piano
Violon et piano

Béla Bartók
Sonatine (über Themen der
Bauern von Transsylvanien)
ED 4399

Paul Dessau
Drei Violinstücke mit Klavier
VLB 112

Jean Françaix
Sonatine
ED 2451

Hans Gál
3 Sonatinen
VLB 92

Harald Genzmer
1. Sonate
ED 3663

Sonatine
ED 4482

George Gershwin
Short Story (Dushkin)
VLB 67

Barbara Heller
Klangblumen
VLB 136

Hans Werner Henze
Fünf Nachtstücke
ED 7825

Sonatina per violino e pianoforte
tratta dell'opera „Pollicino"
ED 6958

Paul Hindemith
Sonate Es-Dur, op. 11/1
ED 1918

Sonate D-Dur, op. 11/2
ED 1919

Sonate in C
ED 3645

Sonate in E
ED 2455

Heinz Holliger
Lieder ohne Worte I
AVV 131

Lieder ohne Worte II
ED 8430

Bertold Hummel
„... und ein Tango"
Vier leichte Stücke
VLB 125

Keith Jarrett
Sonata
VLB 97

Josef Märkl
Carneval der Finger
ED 9298

Bohuslav Martinů
Rhythmische Etüden mit Klavier
VLB 46

Sonate d-Moll
P 5032

Krzysztof Penderecki
Sonate
ED 7797

Eduard Pütz
Twilight Dream
ED 8420

Joaquin Rodrigo
7 canciones valencianas
VLB 77

Nikolai Roslawez
24 Préludes
ED 7940

6. Sonate
ED 8431

Fazil Say
Sonata
VLB 117

Rodion Shchedrin
Journey to Eisenstadt
VLB 142

Menuhin-Sonate
VLB 102

Igor Strawinsky
Der Feuervogel
Berceuse · ED 2186
Prélude et Ronde des princesses ·
ED 2080
Scherzo · ED 2250
Pastorale · ED 2294

Tango
ED 9213

Toru Takemitsu
Distance de Fée
SJ 1050

From far beyond Chrysanthemums
and November fog
SJ 1014

Mikis Theodorakis
Three Pieces for December
VLB 145

Ernst Toch
Sonate, op. 44
ED 1240

Pēteris Vasks
Kleine Sommermusik
VLB 88

Stanley Weiner
Latin American Suite
VLB 44

Jing Zhou
Ba Luan
Alter Chinesischer Volkstanz
VLB 132

Bernd Alois Zimmermann
Sonate
ED 4485

www.schott-music.com